Elvis Peeters

in samenwerking met Nicole Van Bael

Dinsdag

Uitgeverij Podium
Amsterdam

De auteur ontving voor het schrijven van dit boek een werkbeurs
van het Nederlands en Vlaams Fonds voor de Letteren.

ISBN 978 90 5759 515 8

Verspreiding voor België: Elkedag Boeken, Antwerpen

www.uitgeverijpodium.nl

Dinsdag

'Dinsdag?'
'Nee, volgens mij was het woensdag...'

John Kennedy Toole, *Een samenzwering van idioten*

NU MOET IK goed luisteren, denkt hij, nu moet ik goed luisteren, de eerste straal licht is al door de spleet gedrongen, een tweede straal licht is al door de spleet gedrongen, de zon moet al over het dak rijden, dat kan niet anders.

De eerste straal licht heeft hij niet gezien, die heeft hij gevoeld toen die over zijn wang kroop.

Daarna heeft hij heel even zijn ogen geopend.

Toen heeft hij de tweede straal licht gezien die door de spleet viel. Hij heeft meteen zijn ogen weer gesloten, want nu moet ik goed luisteren, dacht hij, zoals hij dat iedere morgen denkt.

Onder het laken spitst hij zijn oren, of hij haar hoort. Een geritsel, een gefladder, een zuchtje wind, een beetje koeren misschien, hoe zal ze zich dit keer aankondigen?

Wat het ook is, hij zal het herkennen, zoals hij haar iedere ochtend herkent.

Ik heb alle tijd, denkt hij, ze komt als haar uur daar is, niet eerder, ik zal het wel merken, ik heb me nog geen enkele keer vergist. Ze laat me niet in de steek, ik zal haar getrippel horen, hoe ze voorzichtig op de nok van het dak beweegt.

Ik slaap onder de pannen, op de zolder, hoger kan ik in dit huis niet komen. Het is krap, maar hier is het goed, het is een oud huis, het ruikt muf, er steekt stro tussen de pannen,

7

het stro zit daar al jaren. Niemand weet dat ik hier slaap, niemand hoeft het te weten, als iemand het weet, zal het meisje van de sociale dienst zich met het huis bemoeien, zo gaat dat, ik weet het van anderen, toen er nog anderen waren met wie ik over dat soort dingen praatte, denkt hij en hij wacht tot hij hoort wat hij weet dat hij moet horen.

Maar het blijft stil.

Omdat ze mij rust gunt, denkt hij, omdat ze weet dat ik moe ben, zelfs vroeg in de ochtend, alsof ik de hele nacht heb gestapt, zo moe voelen mijn benen. Terwijl ik toch alleen maar in bed heb gelegen, gisteravond de twee trappen op ben geklommen om hier te komen, op deze zolder.

Hij houdt zijn ogen gesloten tot hij zeker weet dat ze is geland.

Ha, ben je daar, zal hij zeggen als het zover is, ik begon het net koud te krijgen.

De tocht speelt in de kieren tussen de spanten en de pannen.

Ik moet aan nieuw stro zien te geraken, denkt hij, de zomer komt eraan, ik kan graanhalmen snijden en te drogen leggen. Misschien moet ik dat straks doen, als ik eenmaal ben opgestaan.

Laat ik eerst maar rustig luisteren, hoe ze zal neerstrijken op de pannen en haar weg vindt. Ik zal mijn ogen openen om aan de dag te beginnen. Ik zal de dekens van me af slaan, kijken naar het licht dat me dan werkelijk gevonden heeft, niet met een paar stralen, maar met een volle gloed die alle voorwerpen in de kamer zal tonen.

Zijn jas en zijn broek hangen geduldig aan de spijker naast de deur. Hij kent de licht doorgesleten, wat slobberige vlakken in de broekspijpen waar zijn knieën zitten en de uitgezakte stof in de mouwen van zijn jas waar zijn ellebogen tegenaan schuren.

Naast de deur, precies onder de spijker met de jas en de broek, staat de stoel. Er liggen sokken op. Over de leuning hangt zijn hemd. Het oogt fris, lichtblauw, de knopen glimmen. Behalve de tweede van boven, die is doffer. Misschien omdat ik daar meer over wrijf, denkt hij, omdat ik hem vaker losknoop en weer vastknoop, heb ik er de glans af gewreven.

Op het rechtervoorpand van het hemd, tussen de rij knopen en het borstzakje, zit een vlek, onopvallend, een beetje melk gemorst. Het is geen schandelijke vlek, als het licht anders valt, is ze zelfs niet te zien, een kleine spat die het katoen een tint donkerder maakt. Misschien moet het hemd in de was, denkt hij, zoals hij dat al dagen denkt, er ligt nog een stapel kraaknette hemden in de kast.

Als ik het vervang, draag ik weer een blauw, ik heb haast geen hemden in een andere kleur, een wit voor wanneer ik mijn kostuum draag, maar dat is al lang geleden en een nieuwe gelegenheid om een kostuum te dragen ligt niet in het verschiet, misschien is de volgende keer wel wanneer ik dood ben, dan zal het meisje van de sociale dienst of wie het ook op zich neemt mij af te leggen, wellicht besluiten om me mijn kostuum aan te trekken.

Naast de stoel staat de witgeëmailleerde metalen po met de blauwe rand die hij meenam toen zijn moeder stierf. Het enige voorwerp van alle voorwerpen die zij naliet dat hem de moeite waard leek. Aan de onderkant is een stukje van het email gebarsten, daar zit een kleine vlek, maar geen roest, al zit die barst daar al meer dan dertig jaar. De po is onverslijtbaar, dat weet hij zeker. Er staat een bodempje bleekwater in. Als hij het deksel oplicht, kan hij het in de hele kamer ruiken. Soms voor hij in bed kruipt, licht hij daadwerkelijk het deksel op, dan hangt in de kamer een sfeer van ontsmetting.

Naast het bed staan zijn pantoffels, op het tapijt dat hij ruim een jaar geleden op een rommelmarkt gekocht heeft. Een okerkleurig, hoogpolig tapijt, aangenaam zacht en warm aan zijn voeten. Hij heeft het er met zorg gelegd. Het in drie keer de trappen op gedragen, het tapijt opgerold op zijn schouder, hij was moe, maar niet buiten adem, vroeger heeft hij zwaardere lasten getorst, maar het woog alsof hij een lijk naar de zolder sjouwde. Hij beschikt niet meer over de kracht van toen hij nog jong was maar oud genoeg om een geweer of een granaatwerper te dragen.

Vroeger had hij een scherpe blik, nooit een bril nodig gehad, een goede schutter, trefzeker. Af en toe denkt hij aan die tijd, misschien omdat hij weinig meer te doen heeft dan nu en dan zijn leven overdenken. Het gebeurt vaak terwijl hij wacht, zoals nu, in alle rust. Het is geen diep overdenken, eerder het oproepen van taferelen, stemmingen, zoals je in een album bladert, het zijn geen analyses of beschouwingen, het ligt allemaal achter hem en alleen in zijn leven heeft het een rol gespeeld, niet de loop van de wereld bepaald, dat was zo van meet af aan, diepe gedachten daarover zijn verspilde energie.

Ondertussen is ze er, ik heb haar gehoord, ze is geland en ze heeft me weten te vinden.

De dag begint, denkt hij en hij schuift de dekens van zich af, een beheerste handeling, traag zoals alles wat hij doet. Vroeger sloeg hij de dekens met één krachtige armzwaai van zich af, gaf hij zich meteen bloot, liet het licht op zijn borst timmeren. Nu aait het licht hem wanneer hij behoedzaam op de rand van het bed gaat zitten, met zijn voeten behaaglijk op het tapijt tastend naar zijn pantoffels, een nest voor iedere voet, zo zien ze eruit, als oude nesten, afgesleten, binnenin de wol aaneengeklit tot harde noppen, eeltig zoals zijn voeten, en zurig van het zweet.

Hij wast zijn voeten twee keer per week, morgen zijn ze weer aan de beurt. Het is een gewoonte, hij maakt zich niet meer vuil. Maar vandaag misschien wel, als hij eens op zoek ging naar nieuw stro voor tussen de pannen.

Of gras dat ik laat drogen, dat is gemakkelijker te vinden in de stad.

Ik kan er de hele namiddag mee volmaken, denkt hij, het blijft hoe dan ook een eind wandelen, de Diepestraat door, helemaal tot aan het eind, dan schuin naar rechts, de winkelstraat die omhoog helt, hoe heet die ook weer, met op de hoek de wasserette, ik blijf er vaak staan, door het raam kijken, naar de twee of drie vrouwen die er altijd bezig zijn of zitten te praten, meestal Oost-Europese, af en toe een zwarte. Nog altijd meen ik dat ik kan zien of de zwarte vrouwen uit Congo komen of niet, maar ik vraag het ze nooit, ik kijk alleen, dat is genoeg. Zelden draagt er een haar felgekleurde doeken, maar hun heupen en billen kunnen ze ook op hoge hakken en in panty's niet verbergen.

Voorbij de wasserette, de straat omhoog, ligt een perceel grond braak, daar vind ik zeker gras. Verder voorbij de bocht kom ik langs een smalle doorgang tussen de huizen uit. Daar ligt misschien een graanveld. Dat was vroeger zo, dat zal nu niet anders zijn, zo snel neemt de wereld zijn bochten niet.

Tussen de spullen in mijn gereedschapskist ligt een goed snijmes, dat met het zwarthouten handvat, in de kalfsleren huls. Ik herinner me dat ik het invette en er boterpapier omheen draaide, jaren geleden, ik had het nog een keer geslepen. Toen ik het opborg, dacht ik het misschien nooit meer nodig te hebben.

Het mes komt uit Italië, het was gemaakt voor schaapherders, ik kocht het op een markt in Cosenza omwille van de charmes van de verkoopster. Ze liet zich in mijn vrachtwagen kussen en betasten. Ik sprak een gebroken Italiaans dat ik gemodelleerd had op het Frans, zoals ik in Congo met de Congolese talen deed, de ene modelleren op de andere, want als ik iets geleerd heb is het dat niet de taal belangrijk is, maar dat je weet duidelijk te maken wat je wilt.

Zij wilde naar Rome of desnoods naar Brussel, maar dat wilde ik niet. Het enige dat ik meenam, was het mes. De verkoopster kwam te vroeg, want toen ik Erna leerde kennen, ontwaarde ik in haar veel van de Italiaanse, alleen was Erna tien jaar ouder.

Hij richt zich op zonder zijn gedachten af te maken, gedachten komen en gaan, mijmeringen, bedenkingen, kleine voornemens, als een draaimolen, een ritueel, zesenzeventig jaar archief, ongeordend, onoverzichtelijk, oncontroleerbaar.

Hij zal de gedachte een andere keer afmaken. Nu moet hij zich aankleden, naar beneden gaan, koffiezetten, een sigaret roken.

HIJ STAPT IN zijn pantoffels, een vertrouwd gevoel.

Het is alsof de rust en de behaaglijkheid van het bed zich nog even rond zijn voeten sluiten.

Een ogenblik blijft hij staan en kijkt de kamer rond. Het bed opengeslagen, de deuk in het kussen waar zijn hoofd heeft gelegen. Iedere ochtend verbaast het hem hoe diep de deuk is.

Elke avond schudt hij het kussen op, strijkt het met vlakke hand glad en legt er zijn hoofd op. Het kussen is zacht en hij zinkt er zacht in weg, maar niet diep, nooit heeft hij de indruk dat hij diep in het kussen zakt en toch staat hij iedere ochtend verbaasd van de afdruk, alsof zijn hoofd 's nachts zwaarder gaat wegen.

Hij rekt zich uit en dat is het moment waarop zijn bloed begint te stromen, alsof het bloed op dat teken heeft gewacht om zijn kringloop te hervatten en de slaap en de rust achter zich te laten.

Met een sok in zijn handen gaat hij op de stoel zitten, wrikt de pantoffel van zijn voet. De pantoffel valt met een zware plof op de vloer, een vertrouwd geluid dat hij iedere ochtend twee keer hoort.

Mijn oren zijn nog in orde, ik mag niet klagen, denkt hij, niet over mijn ogen, niet over mijn oren, niet over mijn gewrichten. Ik heb zelfs nog genoeg tanden over in mijn onderkaak om het daar zonder vals gebit te stellen, alleen mijn bovengebit is vals.

Ik heb nog een mooie mond wanneer ik mijn gebit in heb.

Wanneer hij zijn sokken aanheeft, knoopt hij zijn pyjamajas los en trekt die uit. Daarna wrijft hij met een hand over zijn hals, over zijn borst, onder het diep uitgesneden onderhemd dat hij nog draagt. Iedere avond bij het uitkleden denkt hij, ik trek het uit, maar iedere keer houdt hij het toch weer aan omdat het net zo warm is als zijn huid.

Ik doe niets op de godganse dag waardoor ik mijn onderhemd vuil kan maken.

En het onderhemd blijft aan zijn lichaam, warm aan zijn rug in de winter, en bij de felste hitte in de zomer licht genoeg om het niet te voelen. Iedere zaterdag na zijn wasbeurt trekt hij een proper aan.

Hij wrijft vanaf zijn borst over zijn zij tot aan zijn billen, dan langs de rand van zijn rug weer omhoog, vluchtig, bij het midden van zijn rug kan hij niet komen, daarvoor werden mettertijd zijn knoken te stram, zijn zijn armen niet meer soepel genoeg.

Nu pakt hij het hemd van de stoel, trekt het met een paar korte bewegingen aan, neemt de tijd om het dicht te knopen, op de bovenste knoop na, daarna volgt de jas, die laat hij los hangen.

Hij is er klaar voor. Hij heeft over zijn huid gewreven, hij heeft zijn jas open hangen, hij heeft het getrippel gehoord, de dag mag komen.

Hij neemt zijn broek van de spijker, drapeert haar over zijn linkerarm, de po laat hij staan, die heeft hij niet gebruikt. Hij duwt de deur naar de smalle overloop open en staat meteen bij de trap. Met zijn rechterhand omklemt hij de trapleuning. Dat is een voorzorgsmaatregel, wanneer hij 's ochtends zijn eerste trap afdaalt, tegen een onverwachte duizeling, een minieme misstap op een van de treden.

Hij is er al klaar voor, maar zijn lichaam moet zich de dag nog eigen maken. Op zijn leeftijd kan een verkeerd inge-schatte beweging, een plotse daling van de bloeddruk, een kleine onoplettendheid nooit worden uitgesloten, en dan kan hij maar beter de trapleuning beet hebben.

De eerste trap is de meest steile en telt de smalste treden, hij moet het behoedzaam doen. Dat hij zijn broek over zijn arm draagt, als een kelner, geeft het afdalen iets plechtigs, een mooi begin.

Op dagen dat hij ook de po draagt, gaat dat plechtige te-loor, dan heeft hij meer het gevoel dat hij afdaalt in een cir-cus, dan kost het hem moeite om de dag ernstig te nemen.

Eén keer heb ik echt in een circus gestaan, denkt hij, als kind, in de parochiezaal, met een houten paard voorgebon-den, een paardenkop die ik met teugels in bedwang hield. Ik weet niet meer welke rol ik speelde. Die van een ruiter wellicht, misschien een cowboy, of een ridder, maar een zwaard of een lasso, of zelfs een schild, staan me niet voor ogen.

Ik herinner me niet of ik een tekst had, ik weet alleen dat ik riep, dit is geen echt paard, thuis rijd ik op Max, en dat de mensen in de zaal begonnen te lachen.

Vanuit een hoek klonk zelfs applaus, waar mijn ouders en mijn broer en zus zaten. Ik hoorde de stevige lach van mijn vader boven alle andere uit, en zijn ferme stem die bevestigde, mijn jongen heeft gelijk.

Het was waar, vaak tilde zijn vader hem boven op Max,

het grootste paard dat ze hadden, een vale vos op hoge poten, terwijl het dier over het veld hoste met de eg achter zich aan. Hij hield zich vast aan het gareel met de belletjes, hij vond moeilijk steun, hoe hij ook probeerde met zijn knieën, de paardenrug was te breed voor zijn korte beentjes. Hij zat hoog en kon ver over het veld uitzien. Af en toe keek hij achterom. Zijn vader liep achter de eg met de leidsels in zijn hand, de andere hand in zijn broekzak.

Ze zeiden geen woord, hij en zijn vader. Er was alleen het tinkelen van de belletjes, de zware stappen van het paard en het geruis van de eg die het land uiteenreet.

Wanneer het werk gedaan was, zette zijn vader hem weer op de grond. Dan voelde hij hoe het paardenzweet aan zijn dijen en knieën vrat, bijna moest hij huilen. Zijn broek was doordrenkt en ook aan zijn billen vrat het zweet. Hij waggelde met wijdopen beentjes over het pas geëgde land opdat de wind het zweet snel zou drogen, en zijn vader glimlachte.

De houten paardenkop verzonk daarbij in het niet.

Hij voelde zich belachelijk op het podium en toch was hij blij dat er gelachen werd.

IK GA EERST naar onze oude slaapkamer, denkt hij, die hij de oude slaapkamer noemt omdat hij daar in dit huis altijd heeft geslapen voor hij naar de zolder trok. Nog altijd staat er het tweepersoonsbed, toegedekt met een sprei. In dat bed heeft hij maar een half jaar alleen geslapen nadat Simone definitief naar een rusthuis werd gebracht.

Hij had er met pijn in het hart in toegestemd. Die ochtend had hij haar gewassen en aangekleed, zoals steeds, maar dit keer had hij ook nog een uitgebreid ontbijt klaargemaakt, met een spiegelei, waar ze verzot op was, met rozijnenbrood en koffiekoeken, zoals ze vroeger vaak 's zondags deden.

Als een klein, mokkend kind had ze gegeten, sommige happen weer uitgespuwd, andere nukkig geweigerd, het meeste besabbeld en bekauwd zonder het door te slikken tot het in haar mond een brij vormde die in sliertjes langs haar kin droop.

Hij had geduldig naast haar gezeten, haar de happen toegestoken, stukjes brood in de eidooier gesopt, brokjes koffiekoek, reepjes rozijnenbrood, de beker met de tuit aan haar lippen gezet, gevuld met lauwe koffie, met melk, met water, wat ze maar aanwees, hij had wel honderd keer haar naam herhaald, opdat ze zou kunnen weten wie ze was, Si-mone, Simone, hij had aan tafel onafgebroken verteld en gepraat, alle verhalen uit hun korte leven samen die ze had kunnen kennen, tot de ambulance voor het huis stopte.

Hij had haar naar de deur geleid, haar mee in de wagen geholpen, ze leek zelfs blij, alsof ze in een kermisattractie stapte, maar ze zei niets dat hij kon begrijpen of waar hij zelfs maar uit kon afleiden dat ze zelf iets begreep. Met droge ogen wuifde hij haar uit.

's Avonds was hij haar al gaan bezoeken, nadat hij het ontbijt de hele dag had laten staan en het op het laatste nippertje toch maar afruimde voor hij naar de bushalte vertrok. De hele dag had hij geen hap meer door zijn keel gekregen.

Bijna anderhalf jaar lang is hij haar dag na dag blijven bezoeken op haar benepen kamer in het rusthuis. De ziekte van Alzheimer of een andere dementie, haar hoofd bleef maar verkazen. Eerst sprak ze wartaal, op een slepende, zeurderige toon, altijd dezelfde zinnen, en vaak werd ze kwaad omdat niemand erop reageerde zoals ze misschien hoopte, als ze nog ergens op hoopte, dan werd haar stem schril en gejaagd, het herhalen ging door, hij kon alleen maar proberen haar te kalmeren, en uiteindelijk zei ze geen woord meer, hoogstens gaf ze af en toe nog een zucht, uitte wat stil gejammer.

Op een dag was ze dood.

DE DEUR NAAR de oude slaapkamer staat altijd op een kier.

Opdat de kamer niet muf wordt, denkt hij.

Als ik ze niet opberg in de kasten liggen nu alleen nog mijn kleren op het bed.

Hij bukt zich om zijn pyjamabroek uit te trekken. Wanneer hij zich naar de kast draait om een propere onderbroek van het schap te nemen, ziet hij zijn beeld oplichten in de spiegeldeur in de gloed die stoffig door de gordijnen valt.

Even onderbreekt hij zijn beweging, de blik omlaag getrokken naar de donkere vlek die onder zijn hemd prijkt. Het meeste van zijn schaamhaar is grijs, en het staat ook niet meer zo dik. Het geslacht zelf hangt er bleek en gerimpeld bij, als een oude, kromme vinger, de huid vol vlekken, de balzak mager, uitgeteerd.

Mijn lul wijst niet langer naar de hemel, denkt hij. Als ik hem nu achternaga, zak ik in het graf.

Hij trekt de onderbroek aan, zonder aarzelen, zonder wiebelen, nog altijd strak op de been, hij hijst haar helemaal op, tot de stof zich rond zijn ballen hult, zacht flanel.

Daarna stapt hij in zijn broek, haalt zorgvuldig de riem aan, de pin in het vierde gaatje, al jaren. Zijn gewicht neemt niet toe, neemt niet af, hij ziet er wat dikker en gezetter uit dan vroeger, dat is normaal.

Maar ondanks alle drank die ik gezopen heb, is er geen bierbuik. Ik piste het er allemaal weer uit, ik heb veel aan mijn lul te danken, denkt hij met een lachje.

In de badkamer wrijft hij met twee handen koud water over zijn gezicht.

Simone wou het niet, ze vond het boers. Maar mijn handen zijn te breed voor een washandje. Nu let niemand erop. Het meisje van de sociale dienst zal het wellicht onhygiënisch vinden, dat kan ze schrijven in haar rapporten.

Maar zo vroeg in de ochtend, dat ze me kan betrappen, komt ze nooit.

Hij schuift zijn gebit in zijn mond, slaat geen acht op het gezicht in de spiegel, dat doet hij alleen wanneer hij zich scheert en hij scheert zich pas straks na het ontbijt. Eerst neemt hij nog de pot brillantine. Routine, hij doet dit al jaren, weet ondertussen precies hoe zijn haren vallen, hoe hij eruitziet iedere morgen. Zijn bleke wenkbrauwen, zijn diepe oogkassen, zijn benige kaken, zijn kromme neus, zijn geknotte kin. De laatste jaren gaat hij er steeds meer uitzien als het kuiken van een gier.

Toen ik terugkwam uit Congo, werd ik op de luchthaven opgewacht door een tante en nonkel die als enigen van de familie een auto bezaten, een Volga M21. Ze herkenden me amper, ik had een snor en een baard, ros, zoals ze die kenden van de missionarissen. Ik moet er oud hebben uitgezien, hoewel ik nog lang geen dertig was. Zij brachten me thuis met de auto. Ik was al uitgestapt toen mijn moeder en broer naar buiten kwamen. Ik haalde een valies en een kakikleurige ransel uit de kofferbak en bleef staan, keek naar het erf en naar de boerderij.

De februarilucht beet zich vast in mijn adem en deed me dampen. Ik lachte, maar mijn ogen priemden rusteloos naar alles wat in mijn buurt kwam, loerden alsof ze mijn neus belaagden. Mijn moeder liep een paar passen op me toe en bleef op haar beurt staan.

We keken elkaar aan, moeder mager, benig, met vermoeide blik, ik stevig, pezig, met afhangende schouders, die ik alsof het vleugels waren al terug aan het oprichten was, maar niemand had het toen al door, we keken elkaar in de ogen, en ik was het die de eerste stap zette en plots op haar toe liep, in drie kordate passen, mijn valies en mijn ransel in de hand.

Ik liet mijn spullen vallen bij haar voeten, spreidde mijn armen, sloot ze rond haar en tilde haar op, of ze een strohalm was, klemde haar tegen mijn borst en kuste haar voorhoofd. Ze zei geen woord en ik mompelde alleen maar 'moeder'.

Mijn vader was dood, dat had ze me laten weten, maar ik was niet teruggekeerd voor de begrafenis, ondertussen was ik daar al jaren te laat voor.

Ik voelde me als de verloren zoon, elke boodschap heeft zijn blijde en droeve kanten, zijn goede en kwade gebreken, dat was me die afgelopen jaren en maanden snel duidelijk geworden, wat goed is voor de wereld was dat niet altijd voor mij en omgekeerd.

Ik zette haar op de grond en de wereld schoot weer in beweging.

Ik liep op mijn broer toe, schudde hem de hand, aaide de kinderen over het hoofd en lachte, vroeg hoe ze heetten.

HET EERSTE WAT hij beneden doet, is het rolluik optrekken, zodat het zonlicht naar binnen stroomt en het dansen van duizenden stofjes in beweging zet.

Het was een Algerijnse die hem erop wees toen ze de luiken openduwde en het woestijnlicht in de hotelkamer liet vallen. Als God oneindig groot was dan moest er voor hem weinig verschil bestaan tussen de warreling stofdeeltjes en de warreling van planeten en zonnen in de ruimte. Als je met een beweging van je hand de banen van de stofdeeltjes door elkaar kon gooien zonder dat daar ongelukken van kwamen, dan kon een grotere hand de mensen en planeten door elkaar gooien zonder dat dat erger was. Wat maakte het dan uit dat zij haar lichaam aan de mannen schonk, als ze haar ziel maar aan God schonk, alles lag immers in zijn hand. Er zaten hiaten in haar redenering, maar ze klonk beslist en overtuigend. Hij dacht met plezier aan haar terug, al was hij haar naam vergeten.

Nu begint hij het branden in zijn maag te voelen dat hij alleen maar kan blussen met een sigaret.

Toch opent hij eerst de keukenkast, haalt er het pak koffie uit, neemt een filterzakje, frommelt het in het koffiezetapparaat, schudt de koffie erin, giet water in de vergaarbak en zet het apparaat aan.

Hij gunt zichzelf deze overwinning op de sigaret, iedere morgen, een fijn genoegen, laat zijn maag nog maar even branden, eerst alle handelingen om aan koffie te komen.

Dan pas, bij het eerste pruttelen van het kokende water, stopt hij een sigaret tussen zijn lippen, knipt een vlammetje uit de aansteker en neemt een fikse trek. Het geeft hem een prettig gevoel van meesterschap.

Daarna dekt hij de tafel met brood, boter, plakjes gezouten spek en mosterd uit Dijon. Dat is de beste, daar heeft hij er tonnen van vervoerd. Tot zelfs naar Roemenië, wat in die tijd niet vanzelfsprekend was, toen liep het IJzeren Gordijn nog door Europa. Achter dat Gordijn bloeide het leven evengoed, dat laat zich niet knechten, noch door een dictatuur, noch door een democratie. De communistische liefde was niet armzaliger dan de westerse of de zwarte.

Je hebt alleen mosterd mee?

Een hele vrachtwagen, zei hij.

Maar je rookt. Bied je me er geen aan?

Een sigaret? vroeg hij.

Nee, een pakje, was het antwoord.

Ze wisten daar evengoed van wanten als hier.

De scherpe smaak van de mosterd jaagt tot in zijn neus, verdrijft de smaak van de sigaret. Hij zit kaarsrecht op de stoel zonder met zijn rug de leuning te raken, staart recht voor zich uit door het kleine keukenraam dat uitzicht biedt op een koertje, muren en achtergevels. Er is daar weinig te zien. Soms hangt er wat wasgoed op een balkon of voor een raam.

's Ochtends is dat voldoende, zijn ogen mogen rusten, alleen nog registreren wat ze al kennen.

Wanneer de laatste hap is doorgeslikt, drinkt hij de koffie op en ruimt de tafel af. Nu moet hij de dag ter hand nemen, naar buiten gaan.

Hij kijkt de straat in vanachter het dunne gaas van het gordijn waarop al jaren zwarte spatjes vliegenstront zitten. De laatste keer dat ze gewassen werden, dat deed Simone, toen ze hier pas introk, ze heeft het hele huis in de zeep gezet, gepoetst en geboend, en hij droeg emmers aan, zette de trapladder waar die moest staan, hield haar vast, terwijl Simone de luchter schoonmaakte met een klamme vod en hij onder haar rok keek, uit gewoonte, een reflex die hij zeker nog heeft wanneer de gelegenheid zich zou voordoen.

De lucht lijkt helder, er hangt veel egaal blauw en hier en daar sluieren een paar wolken. De zon komt nog niet boven de huizen aan de overkant uit, er drijft een kalme wind langs de gevels, de reclamevlaggetjes bij de krantenwinkel wiegen heel licht, hij kan zich zonder hoed naar buiten wagen. Naar de mensen die voorbijlopen kijkt hij amper.

Met Simone, en daarvoor met Erna, ben ik naar het Afrikaanse Museum in Tervuren geweest, om hun over mijn leven in Afrika te vertellen, zodat ze het zich konden voorstellen, de hutten, de missieposten, wat ik er deed, maar alles, echt alles wat ik deed heb ik nooit verteld, sommige dingen zouden ze niet begrijpen, denkt hij.

Die tijd in Congo was voorbij, en het had geen zin het nog op te rakelen. De geschiedenis is wat ze is, en dat is ze ook zonder mij. Dat ik hier door deze uithoek van Brussel struin als het goed weer is, en anders voor het venster naar de regen zit te kijken en mijn longen zwart rook, draagt er niet meer of minder toe bij dan de daden die ik in Congo verrichtte.

Een mens moet zijn plek kennen en die ligt uiteindelijk altijd onder de grond.

Ik stel met tussenpozen vast dat ik er nog ben, dat het anderen zijn die vertrekken en dat van degenen die blijven er mij steeds minder interesseren. Op een dag zal de dood me overvallen, en dat zal het geweest zijn. En als een ziekte daar anders over beslist, zal ik over de dood beslissen, zoals ik al eerder gedaan heb, denkt hij, terwijl hij wat losse munten in zijn jaszak stopt en de tas van de kapstok neemt.

HIJ TREKT DE deur met een ruk dicht, hoort haar met een droge klap in het slot klikken. De temperatuur, de haast onmerkbare bries, het zachte wiegen van de wereld zijn zoals hij het verwacht heeft.

Met de lege tas aan zijn arm steekt hij rustig met twee handen een sigaret op, de eerste vandaag buitenshuis, in de frisse lucht.

Hij zuigt de rook naar binnen, terwijl hij de straat in kijkt waar niets is dat hem lokt. Hij brengt de sigaret opnieuw naar zijn mond, steekt haar tussen zijn lippen, wacht een seconde en neemt dan een trek, langzaam, hij heeft de tijd, de straat beweegt niet, ligt daar gewoon voor zijn ogen in het ochtendlicht en hij kent dit beeld zo door en door dat het hem aan niets anders doet denken.

Hij neemt nog een laatste trek, met de blik al naar de overkant van de straat gekeerd waar hij naartoe zal gaan. Hij gooit de smeulende peuk op het trottoir, plaatst er zijn voet op bij de eerste pas van zijn wandeling.

Zo is het goed, bijna terloops stapt hij de dag in, niets bijzonders.

Het bijzondere heb ik allemaal al gehad, denkt hij.

Ter hoogte van de krantenwinkel steekt hij de straat over, in een bijna perfecte rechte lijn, hij wandelt niet verder tot aan het zebrapad om dan terug te keren, de auto's moeten hier maar vertragen of halt houden, hij doet of hij ze niet merkt. Maar zijn ogen vatten nog iedere beweging, niet zo haarscherp als vroeger, maar de alertheid, de waakzaamheid, de oplettendheid bezit hij nog.

Vandaag koopt hij *Le Soir*, morgen koopt hij weer *Het Laatste Nieuws*, de ene dag een Franse, de andere dag een Vlaamse blik op de wereld, de ene dag de krant van de intellectueel, de andere dag die van Jan Modaal, zelf rekent hij zich tot geen van beide, maar het is bevredigend ze allebei te kennen. Hij betaalt met de losse munten die hij op zak heeft en stopt de krant in zijn tas.

Hij wisselt weinig woorden met de verkoopster, noemt alleen de naam van de krant die hij wenst, zij haalt ze uit de rekken, overhandigt ze en hij legt een paar munten op de toonbank, zij geeft hem het wisselgeld, zegt *Merçi, s'il vous plaît*, als hij een Franstalige krant koopt en *Dank u, alstublieft*, als hij om een Vlaams dagblad vraagt.

Zo gaat dat al jaren.

Daar hebben ze zich bij neergelegd.

We weten wat we aan elkaar hebben, denkt hij. Meer woorden hoeven niet te worden vuilgemaakt aan het kopen van oud nieuws.

Hij verlaat de winkel, kijkt vluchtig de straat in, uit gewoonte, niet om iets op te merken, hij kent blindelings de weg die hij wil gaan, naar de slager om de hoek, naar de bakker en naar de kruidenier die hij nog zo noemt, maar eigenlijk is het een klein filiaal van een grote supermarktketen.

Veel van het soort producten dat daar in de rekken ligt, heeft hij ooit vervoerd. Wanneer hij een doosje Camembert de Normandie neemt, denkt hij vaak vanzelf aan de afstand die het heeft afgelegd om in deze winkel te belanden. Hij kan zich de route inbeelden zoals hij die met zijn vrachtwagen nam, van Frankrijk naar een opslagplaats in Kraainem, vanwaar de goederen verder werden verdeeld over Belgische winkels.

Hij knikt.

Hij wacht tot de blonde dienster het bier brengt, neemt een eerste slok, voor hij in de krant gaat lezen.

Wanneer hij zijn boodschappen achter de rug heeft, wandelt hij altijd tot aan de hoek van de Oude Dwarsstraat met het Hertogenplein waar hij aan een van de tafeltjes gaat zitten op het ruime terras van Café Le Duc, zijn tas zet hij op de stoel naast zich. Hij diept de krant op en nog voor hij die heeft opengeslagen staat de blonde dienster bij hem.

Wat hij leest, vergeet hij zodra hij de krant dichtslaat. Hij vergewist zich er alleen van of de berichten nog van dezelfde aard zijn als in andere jaren, een moordzaak, ongevallen, politieke onenigheid, kleine misdaad, oplichterij, fraude, professionele criminaliteit.

Mensen lopen voorbij. Alleen als hij toevallig een paar schoolmeisjes of een jonge vrouw ziet, staart hij ze na. Maar niet zoals toen, voor hij Erna had. Toen kleedde hij ze uit met zijn ogen, en als hij de kans kreeg ook met zijn handen. Nu kijkt hij kalm, zonder verwachting.

Niemand heeft mij ooit een strobreed in de weg kunnen leggen, denkt hij, zelfs al namen ze mijn rijbewijs af terwijl ik vrachtrijder was, zelfs al stopten ze me een jaar achter de tralies toen ze me in Congo te pakken kregen, ik genoot van de rust om opnieuw te beginnen, ik heb nergens voor geboet.

De blonde dienster brengt hem zijn tweede glas bier.

Soms maken ze grapjes samen, als ze tijd heeft, als het niet druk is. Onschuldige grapjes, een oude man en een veel jongere vrouw die beiden weten wat er tussen mannen en vrouwen mogelijk is.

Na twee glazen bier brengt ze nog een espresso en rekent af.

Jaren geleden wandelde hij aan de andere kant van Brussel naar het appartement van Erna. Hij kende Simone nog niet. Die kwam pas veel later.

Hij was een beetje beschonken, maar daar wist Erna wel raad mee.

Zijn stappen waren licht, het was bijna dansen wat hij deed.

Zoals hij al zo vaak had gedaan, in het café, wanneer hij over de tegels schuifelde met Anouche, zoals Erna toen nog heette. Hij had geweten dat het niet haar echte naam was. Ze was niet tot alles bereid, daar zijn de jonge meiden voor, zei ze, ik weet wat ik waard ben, en dat apprecieerde hij aan haar. Tot vroeg in de ochtend dansten ze op nummers van Edith Piaf. Zij bood hem haar fysieke diensten aan, hij betaalde.

Tot ze zei, ik kan dit niet meer, ik stop ermee. Ik deed het de laatste jaren nog slechts uit gewoonte, omdat ik niet weet hoe ik anders mijn dagen moet vullen. Ik heb genoeg bijeengespaard. Ik koop een appartement in een andere buurt en niemand ziet mij hier nog terug. Alleen het vrijen, met jou, voegde ze eraan toe, en plots leek ze een school-meisje, ondanks haar gezwollen gezicht, haar troebele ogen. Een ogenblik dacht hij dat ze in snikken zou uitbarsten, maar dat gebeurde niet, ze werd heel professioneel, opende haar dijen zoals ze dat altijd had gedaan, zonder tederheid, zonder gevoel, formeel, beleefd, alsof ze hem een pakje sigaretten aanbood en hij er een mocht nemen.

Alleen het vrijen zal ik missen.

Hij aarzelde, maar de lust had hem al in bezit genomen en hij nam haar zoals hij haar noch een andere vrouw ooit genomen had, althans, dat dacht hij toen.

Ze had hem later in een achteloze luim het adres van haar appartement gegeven. Het lag helemaal aan het andere eind van Brussel, hij had de tram genomen, moest nog een paar straten te voet verder, licht zwijmelend, misschien ook van geluk, ja, ik mag van geluk spreken, dacht hij. Zijn rijbewijs was hem alweer voor drie maanden ontzegd, hij zat vastgespijkerd in de hoofdstad, werkte voorlopig in een magazijn, die drie maanden waren ideaal om een onzekere verhouding vaste vorm te geven.

Hij had geen idee wat hij haar zou vertellen, hoe anders een ontmoeting in haar appartement zou zijn dan in een café of een louche bovenkamer, hij had het zich verschillende keren proberen voor te stellen, maar altijd kwam hij weer uit bij een sofa of een bed met grauwe lakens, een kale muur, enkele flessen op een tafel en vergeefse gesprekken over een geregeld leven omdat geen van beiden ooit zo'n leven had gekend. Hij was al een tijdje terug uit Afrika, voldoende jaren om als vrachtwagenchauffeur talloze malen Europa te hebben doorkruist.

Hij belde aan, ze gooide hem de sleutel toe vanaf het krappe balkon, driehoog, hij kon duidelijk haar glimlach zien, zij ook die van hem. Hij ving de sleutel probleemloos op, ze had er een zakdoek aan vastgemaakt.

Hij beklom de trappen, herinnert zich nog het behangpapier in de traphal dat hier en daar loskwam, gele en paarse vormen, het kraken van de treden, hij hoort nog hoe ze de deur opende, de klik waarmee de deur uit het slot sprong, en meteen stond hij voor haar, alsof hij de laatste traptreden niet had genomen, daar stond ze, in een gesloten jurk, zoals hij haar nog nooit gezien had.

Het eerste gebaar weet hij nog, weet hij nog precies: hij overhandigde haar de sleutel, zijn vingertoppen in haar handpalm, het warme metaal van de sleutel, die de hele tocht naar boven in zijn hand had gelegen, het zachte kriebelen van de katoenen zakdoek, lichtblauw en donkerblauw en wit geruit, alsof hij dat nooit mocht vergeten, de eerste vrije zakdoek tussen hem en haar, haar vingers die zich een ogenblik sloten rond die van hem. Een ogenblik, want ze trok haar hand terug, en toen bood ze hem haar mond, de eerste vrije kus tussen haar en hem, haar lippen slechts dun bleekroze geverfd, haar adem geurend naar pepermunt, ze had pastilles gesabbeld, haar tanden gepoetst, glanzend, alles wat hij had nagelaten.

Een korte, begroetende kus, net genoeg om haar mond te beroeren, er was nog geen woord gesproken, toen pas, kom, zegt ze, kom binnen, en ze liet hem passeren, ze sloot de deur, dit was haar woning.

Het eerste wat hij zag was haar kat, een dikke roomkleurige poes met een bruine vlek in haar nek, die in een zetel lag, haar ogen op hem gericht, kleine loerende ogen, en geweldig grote snorharen, een vadsig roofdier, haar staart lichtjes boven haar slapende bil gekromd, als een scepter.

Hoe vind je het?

Ze verwachtte hem, de kamer was opgeruimd, een dressoir met ingelijste foto's erop, de slagtand van een olifant waarin kunstig een rij van zeven olifanten was gekerfd, een cadeau dat hij haar ooit gaf.

Mooi.

In de keuken had ze een kleine taart klaarstaan met fruit en slagroom, ze had de tafel gedekt met koppen en schoteltjes, messen, vorkjes, lepeltjes, suiker. De koffie zou ze dadelijk opschenken, de melk stond in de ijskast, die zacht zoemde onder het smalle venster naast de deur die uitkwam op een klein achterbalkon waar twee stoelen en een tafeltje wachtten. Hij had het gevoel dat hij dit alles in één oogopslag zag, alsof hij een open plek in de brousse inspecteerde.

En in dezelfde oogopslag merkte hij ook hoe teer haar handen trilden die op de leuning van een stoel rustten. Met een ruk draaide hij zich naar haar om, zijn nog halfdronken ogen in haar half ontnuchterde ogen, en een seconde staarden ze elkaar roerloos aan.

De ogen van de kat priemden in zijn rug.

Toen zette hij de eerste stap, de neuzen van hun schoenen raakten elkaar, ze liet de leuning van de stoel los, hief haar handen naar zijn schouders. Hij plantte zijn handen plomp in haar lendenen, even schrok ze, hij voelde het aan het trekken van haar heupen, dan snokte hij haar tegen zijn borst, zo moet het zijn gegaan.

Hij noemde haar bij haar hoerennaam, en toen onthulde ze dat ze Erna heette, dat ze wilde dat hij haar echte naam in de mond nam, en hij knikte, kon niets uitbrengen, hij onderdrukte een oprisping, zijn maag was van streek.

Hij zag haar borsten op en neer ademen onder haar gesloten gebloemde jurk, niets liet vermoeden dat ze een hoer was.

Jij was niet mijn laatste klant, zei ze.

Het deed er niet toe wie dat was geweest. Hij keek niet achterom. Hij was ook niet haar trouwste klant geweest, ook niet de liefste.

Zij herinnerde zich niet de eerste keer met hem, ook niet de tweede of derde keer, op een dag bleek hij al vaak bij haar geweest te zijn, een klant als de meeste anderen, onregelmatig, omdat hij een vrachtwagenchauffeur was en soms wekenlang van huis, vaak dronken. Ook zij kon drinken, ze hield geen boekje bij over wie bij haar kwam, sommigen kerfden zich vanzelf in haar geheugen, die zou ze nu een voor een wissen, alleen hij zou blijven.

Zo moet het geweest zijn, er is niemand bij wie hij het nog kan navragen.

Ze goot koffie op, wees hem een stoel bij de tafel.

Hij herinnert zich dat ze koffie dronken, zij zwart met veel suiker, hij met veel melk. Van de taart aten ze niet. Na de koffie dronk hij bier om zijn maag te kalmeren. Na zijn tweede flesje nam Erna er ook een. De taart voerde ze in brokjes aan de kat. Daarna ging hij op haar bed liggen terwijl zij warm eten klaarmaakte.

Toen hij opstond, zat ze in de zetel met de kat op schoot. De tafel stond gedekt, aardappelen, vlees, groente, tafelbier. Na het eten bleef hij bij haar, het beviel hem, het beviel Erna.

Het gaf een prettig gevoel, iemand in je nabijheid weten die niet weg moest, die kon blijven, iemand van wie je kon houden als je dat wilde, en geen van beiden zag een reden om dat niet te willen.

De avond kwam.

Zo was het.

Ze stonden op het smalle balkon. Boven de daken hing al een grauwe schemering, op de straat lag het licht nog te spartelen voor het in de grond kroop.

Hij hield een hand op haar heup, Erna had haar handen op de balkonrand gelegd, de kat zat tussen haar voeten, wreef haar kop tegen haar enkels.

Erna was een half hoofd groter dan hij, hij was geblokt

en gespierd, zij was rijzig en slank, als hij zijn hoofd schuin hield, lag het vanzelf op haar borsten.

In de straat was weinig te zien, hoe het licht wegebde, de straatlantaarns aangingen, mensen voorbijwandelden, een paar auto's, een fietser, een rustige buurt. Op de hoek links was een café, daar konden ze naartoe.

We dronken tot haar laatste cent en mijn laatste cent op was. De afstand van het café naar haar huis was klein, het kostte ons meer moeite ons de drie trappen op te hijsen tot bij haar appartement waar de roomkleurige met een misnoegd oog zat te wachten.

We lagen tegen elkaar aan, zurig zweet, zurige adem, kleffe tong, kleverige handen. Vrijen deden we niet.

's Anderendaags haalde ik enkele zakken met kleren op, een paar schoenen en pantoffels, gooide ze bij haar naar binnen en nam de tram naar het magazijn waar ik werkte, zij vond werk in een sigarettenwinkel, een paar uur per dag, ik gaf mijn appartement op, toen sliepen we als man en vrouw.

Het was goed tegen een vrouw aan te liggen, denkt hij, de warmte van twee lichamen in een bed, alsof er met de liefde – we wisten niet hoe we het moesten noemen, ik hou van je, ik zie je graag, het leken zinloze woorden, voor een hoer en een hoerenloper – met de liefde een wereld openging die we daarvoor niet kenden.

Hij herinnert zich hoe ze eerst geloofden dat ze van elkaar konden houden, hoe ze daarna geloofden dat ze echt van elkaar hielden, en hoe ze uiteindelijk werkelijk van elkaar hielden.

TOEN HIJ ZIJN rijbewijs terugkreeg, kochten ze een auto, een oude Simca, geschikt om naar de boerderij van zijn ouders te rijden.

Zijn moeder woonde in bij het gezin van zijn broer die na de dood van zijn vader de hoeve had overgenomen. Ze was een kleine vrouw geworden, benig, het getaande vel hing slordig over haar knoken, ogen diep in hun kassen, het grijze haar onder een doek die ze onder haar kin vastknoopte, in de zomer tegen de zon, in de winter tegen de kou.

Met trots stelde hij Erna voor: ze is gek genoeg om mij te willen.

Zijn moeder bekeek haar van kop tot teen.

Ja, verwen haar maar, zei hij, ze houdt me op het rechte pad.

En zijn moeder lachte, en hij lachte, en zijn broer lachte zuur.

Hij had er zich al maanden niet meer laten zien. Dat waren ze van hem gewend, hij dook op, hij verdween. Hij had hier jaren nog een kamer gehad, die hij maar af en toe gebruikte. Waar anders had hij terechtgekund toen hij uit Afrika kwam, dan in het huis waar zijn moeder nog woonde?

Het was goed nu en dan wat weiden en velden te zien, languit in een stoel in de zon te liggen in de schaduw van een appelboom, grappen uit te halen met de kinderen van zijn broer, te luisteren naar het proesten van jonge vaarzen, weg te dromen, weg uit de stad.

Af en toe legde zijn moeder zwijgend een zakje aardappelen, een kool, een handvol aardbeien of een portie boontjes naast de auto.

Hij zei er niets over, laadde het in de wagen, trok zijn moeder aan zijn borst en vertrok.

Hij voelde zich snel thuis in het appartement van Erna.

Alleen de kat stoorde hem, hij begreep niet wat Erna wilde met dat beest. Misschien had ze in de maanden voordat hij kwam, gezorgd voor beweging, geritsel, nukken, gekkigheid, maar nu vergde ze alleen maar aandacht.

Wat moest dat beest driehoog op een appartement waar het niet naar buiten mocht, vetgeschranst, lui, bij twee mensen die elkaar hadden? De rol van de roomkleurige was uitgespeeld. Erna die 's ochtends en 's avonds brood verbrokkelde in een schoteltje melk, het vel van de kip dat hij zelf zo lekker vond, licht gekorst, knapperig, op de zijkant van haar bord legde en na de maaltijd aan het beest gaf, door de kamer liep, zich plots bukte, het beest even streelde en verderging met waar ze mee bezig was, strijken of afwassen of een flesje bier openen. Nee, de roomkleurige was overbodig geworden.

Op een middag toen Erna naar de kapper ging, greep hij de kat bij de nek, opende de deur naar het achterbalkon en gooide het beest met een krachtige zwaai van zich af. Hij draaide zich onmiddellijk om, ging de keuken in en sloot de deur voor het beest drie verdiepingen lager neerkwam, tussen de schrale struiken, het afval en de muren en koterijen die in de tuintjes achter de huizen waren opgetrokken.

Erna kwam terug van de kapper, hij bewonderde haar

kapsel, schonk haar een biertje in, nam haar op zijn schoot in de zetel waar anders de kat misschien had gelegen. Ze vroeg niet naar het beest, die dag niet en evenmin de volgende dagen. Hij herinnert zich niet dat ze er ooit naar vroeg, ook hij repte er met geen woord over. Het was of de kat nooit had bestaan.

Toen voelde hij tot wat liefde in staat was, dat ze kon vergeten, moeilijkheden oplossen zonder gepraat.

Hij glimlacht wanneer hij nu een roomwitte poes voor een raam ziet.

HIJ WANDELT NAAR huis met zijn boodschappen, de smaak van de espresso in zijn mond, daar geniet hij nog even van.

De zon heeft haar meest behaaglijke positie aan de hemel bereikt, dat blijft zo tot een eind in de namiddag, eenmaal boven de huizen, vrij in de lucht, duurt het een tijdje eer ze de indruk geeft weer te dalen en aan kracht te verliezen.

Het wordt een geschikte dag om gras te snijden, als dit weer aanhoudt, zoals hij las in de krant, heeft hij in twee dagen droog hooi.

Ik breng het deze namiddag in een tas naar huis, denkt hij, ik zal kijken of het werkt als ik een paar reten tussen de dakpannen heb dichtgemaakt, of het de moeite loont, dat kan haast niet anders, hooi is net zo goed als stro.

Hij houdt stil, niet om uit te rusten, mijn conditie is nog goed genoeg om de boodschappen te dragen, denkt hij, geen last van mijn longen. Erna had pech, zij rookte minder dan ik, kanker is wispelturig.

Maar het waren niet alleen haar longen, ook haar maag, haar baarmoeder, uitzaaiingen, ik herinner me niet meer wat de dokters allemaal zeiden. Ik wil het me ook niet herinneren. Het leven heeft achter sommige dingen een punt gezet, de gedachte aan andere mogelijkheden is zinloos.

Hij houdt stil omdat hij aarzelt of hij nu een sigaret zal opsteken of zal wachten tot hij thuis is.

Als ik aarzelend verder wandel, ben ik al haast thuis. Dan kan ik net zo goed in het deurgat staan roken.

Hij keek Erna in de ogen, die hem op een drafje achternakwam, ze was buiten adem, haar longen, ze probeerde hem nog na te roepen, maar haar stem klonk schor en zo goed als krachteloos. Ze had moeten hoesten, haar keel schrapen, maar toen kwam er bloed mee, een donkere veeg op de rug van haar hand, de rest slikte ze weer weg. Ze moest naar de dokter, de dokter moest komen.

Ze liep me achterna, die kracht had ze nog, op platte schoenen, vroeger liep ze altijd op hoge hakken, die maakten haar nog ranker en rijziger.

Je vergat je boterhammen, zei ze, zwaaiend met de brooddoos, nadat ik me omdraaide, ik hoorde het klepperen van haar schoeisel over de plavuizen, niet haar stem.

Buiten adem stond ze daar met de brooddoos, als een klein meisje, ik zag de bruinrode veeg op haar hand.

Wat is dat? vroeg ik.

Maar ik wist het al, zo breekbaar, hulpeloos stond ze daar, ik had al tientallen keren mijn boterhammen vergeten, dikwijls opzettelijk, zodat ik ze niet zou moeten weggooien wanneer ik 's middags toch in een etablissement ging eten met een paar werkmakkers, ze wou me het bloed laten zien, ze hoestte al een paar maanden, het roken deed haar pijn soms, ze wou dat ik het me aantrok, ze was bang nu, radeloos, murw, dat zag ik allemaal in dat ene moment in haar leeglopende ogen.

Ik nam de brooddoos uit haar handen, legde ze op de vensterbank van het huis waarvoor we ons bevonden, drukte Erna aan mijn borst, legde mijn handen als een schelp rond haar hoofd.

Even dacht ik dat ze zou gaan snikken, maar ze deed het niet, ze kromp alleen een klein beetje ineen en ik voelde hoe ze door mijn jas en hemd heen in mijn schouder beet.

Kom.

Ik liet haar hoofd los, nam haar hand, greep de brooddoos van de vensterbank en nam Erna mee terug naar het appartement. Ik bedacht dat ze al deze trappen af was gelopen om me op straat nog te kunnen inhalen, hoe ze dat met weinig adem voor elkaar had gekregen, de moeite die het haar had gekost om tot vanavond niet alleen te blijven. Voet voor voet ondersteunde ik haar om de trappen te beklimmen.

Eenmaal boven werd ze rustig, ze ging in de zetel liggen, ik bracht haar een stoel voor haar voeten. Ik wilde een sigaret opsteken, maar bedacht me, ik dronk een glas water in één keer leeg, dat had ze me nog nooit zien doen.

Zal ik een dokter bellen?

We hadden nog nooit een dokter over de vloer gehad, ik wist zelf wel hoe ik ziekte of ongemak moest aanpakken, dat had ik in de moerassen in de brousse geleerd, maar nu ging het om Erna en ik wist meteen dat ik tegen wat haar overkwam geen verhaal had.

Ik bracht mijn collega's op de hoogte dat ik niet naar het werk kwam, daarna ging ik bij Erna zitten, legde mijn hand op haar arm, ze zag er heel bleek uit. Ze was tien jaar ouder dan ik, en nu zag ik plots de vermoeidheid, de plooien rond haar mond, de afgematte huid, alsof de ongemerkt verlopen tijd plots over haar was uitgestort en zich in fronsen en rimpels op haar had vastgezet.

Ik zei niets, mijn hand was genoeg, het leven dat erin klopte, dat haar vasthield. We keken door het raam naar de daken en de lucht, naar een vliegtuig dat voorbijgleed, hoog, ver in het blauw.

De dokter liet haar onmiddellijk naar een ziekenhuis brengen.

Plots was het appartement leeg.

Plots was ik daar alleen.

Dag en nacht.

Vijf maanden duurde het eer Erna bezweek. Ze bleef twee weken in het ziekenhuis, toen wilde ze weer naar huis, ze was uitgeput. Haar zorgeloze blik zou af en toe nog terugkeren, het bloed dat haar wangen weer kleurde, met een deken rond haar heupen en over haar benen, ze had het vaak koud, ook al was het augustus en hing er een hondse warmte in de stad. Ik bracht haar met de zetel naar het smalle balkon vanwaar ze me toen ik hier de eerste keer kwam de sleutel toewierp. Overdag moest ik haar vaak alleen laten, ik kon niet elke dag van mijn werk thuisblijven.

Ik hielp haar 's morgens opstaan, ze kon het alleen, maar dikwijls ontbrak haar de moed, ik keek toe hoe ze haar toilet maakte, daarbij barstte ze geregeld in tranen uit. Ze was vermagerd, haar wangen ingevallen, haar haren vielen uit, de ambulance kwam haar ophalen voor haar therapieën, ik had voor haar een mooie leren muts gekocht, met flanel gevoerd, maar daaronder leken haar ogen dood in hun kassen gekropen, de lippen smal en bleek, haar teint vaal.

Op een dag, nadat ze met de ambulance vertrokken was, haalde ik de spiegel weg.

Ze zei er geen woord over, zoals met de kat, alsof de spiegel er nooit was geweest. Ze maakte haar toilet op de tast, ik gaf haar aanwijzingen, die accepteerde ze, tot ze het opgaf nog haar toilet te maken.

We wisten dat ze niet lang meer had.

Ik regelde dat ik halve dagen kon gaan werken. De laatste dagen, we wisten allebei, we voelden dat het de laatste dagen waren, bleef ik de hele dag bij haar. Ik droeg haar naar de zetel, manoeuvreerde haar op het achterbalkon, daar zaten we in de avondzon, zij keek naar de wereld die ze zou verlaten, ik rookte een sigaret.

Doe maar, zei ze, ik weet dat het jou verlicht.

Het is lekker, zei ik.

Dat weet ik, zei ze.

Verder reikten onze gesprekken niet meer, alles was gezegd.

Ik ben blij dat je er die laatste jaren bent geweest, zei ze ook nog, dat ik dat heb gekend.

Ze bedoelde het samenleven zoals wij dat hadden gedaan. Misschien bedoelde ze ook de liefde. Misschien vond ze dat te hoog gegrepen. We hielden van elkaar en zo ging ze dood.

Ik heb haar nog een keer te drinken gegeven, of beter: haar lippen bevochtigd. Misschien heeft ze gevoeld hoe mijn tranen op haar slapen lekten, misschien heeft ze het droge snikken gehoord, misschien was het al te laat. Ze ademde moeilijk, ik heb geen moment overwogen de dokter te bellen, pas een uur later, toen ze dood was, om het vast te stellen en de formulieren in te vullen.

Ze lag in de zetel, ik heb haar weer op het bed gelegd en nog een half uur naast haar gelegen, mijn hand in haar hand, tot ze koud werd en verstijfde. Plots rook ik haar ontlasting, toen wist ik dat ik de dingen in handen moest nemen, dat ons gezamenlijke leven af was.

HIJ STAAT IN het deurgat van zijn huis en rookt. Rustig met een schouder tegen de deurstijl geleund, zijn tas met boodschappen tussen zijn voeten, kijkt hij naar de overkant van de straat waar een verhuizing aan de gang is. Een verhuiswagen staat voor de deur geparkeerd, mannen laten met een ladderlift een kast van de tweede verdieping naar beneden zakken, de kast is met dekens omwikkeld.

Ze pakken het voorzichtig aan, zoals ik het deed.

Ik droeg zelf Erna's kist naar beneden, de drie trappen, ze woog maar weinig toen ze stierf, het gewicht van botten en enkele kapotte organen, nauwelijks vlees, en een kist van goedkoop dennenhout. Ik kon haar met beide armen omklemmen. De doodsdragers keken toe, één liep voorop de trap af voor het geval er iets mis zou gaan.

Zo hield ik haar voor het laatst aan mijn borst, de trappenhal met het afgebladderde paarse en gele behang, niemand had het in al die jaren vervangen, nu en dan werd een losgekomen hoek weer vastgelijmd, maar gauw kwam het alweer los, we hadden hier jaren samen gewoond, en de wereld deed of er niets gebeurd was. Ze werd onder de grond gestopt en alleen ik zou aan haar blijven denken, aan deze vrouw die geen broers of zussen had met wie ze contact onderhield, geen ouders die nog leefden.

Ik heb niemand op de hoogte gebracht van haar dood of

haar begrafenis, ze had er ook niet om gevraagd, we hadden de laatste dagen alleen nog samen af en toe televisie gekeken. Ik zei haar dat ze zich geen zorgen moest maken, dat ik me erdoor zou slaan, dat ze een geschenk was geweest. Ik had een grote witte strik rond haar kist willen binden, maar de doodgravers zeiden dat ze dat niet konden toestaan, om de dood wordt niet gelachen. Maar aan het eind lachte ze er zelf om, een paar dagen voor haar dood, toen ze de kracht nog had en het bewustzijn, had ze gelachen, hebben we samen gelachen om het absurde van de dood, je verzet je met al je tentakels, maar het staat van meet af aan vast dat je aan het kortste eind trekt, wat is daar ernstig aan?

Ik had haar willen teruggeven zoals ik haar gekregen had, als een geschenk, maar uiteindelijk legde ik me neer bij de ernst van de wereld.

Dit huis heeft Erna nooit gekend, dit is het huis met Simone.

Hij heeft geen enkele liefde mogen behouden. Is nooit tot het eind mogen gaan, heeft altijd moeten loslaten, uit handen geven. Zo zal hij het ook met zijn eigen leven doen. Hij weet wat het is, levens geven, hij weet wat het is, levens nemen. Een groot probleem wil hij er niet van maken.

Hij smijt de krant op de tafel, legt de boodschappen op het aanrecht, het vlees stopt hij in de koelkast.

Er rest hem deze voormiddag weinig wat hij niet uit gewoonte zal doen, naar het achterkoertje slenteren, kijken of er een kat op het muurtje ligt, dikwijls is het een donkere getijgerde met brede oren en een dikke staart, soms wordt ze verdreven door een slanke muisgrijze.

Vandaag is er geen kat.

Wanneer er wel een zit, probeert hij haar te lokken, om haar te strelen, haar kop te aaien, geeft haar een stukje van het vlees uit de koelkast.

Hij gaat terug naar binnen, misschien kan hij nu al aardappelen schillen, hij hoeft ze nog niet op het vuur te zetten.

Hij gaat binnen bij het raam staan.

Een beetje terzijde, naast het overgordijn.

Zo heeft hij het geleerd, nooit vlak voor het open gat gaan staan, eerst kijken, je vergewissen, op je hoede blijven.

Er is niets bijzonders te zien buiten, de verhuizers zijn klaar, ze maken de ladderlift vast aan de vrachtwagen.

Het huis aan de overkant kijkt hem aan vanuit lege vensters, nergens hangt nog een gordijn, hij ziet de holle ruimte in de kamers.

Het gezin dat het huis verlaat staat op het trottoir. De man legt een cellokist in de auto, de dochter stapt achterin en geeft een mand met een kat aan haar broer. De vrouw neemt plaats achter het stuur. De verhuiswagen vertrekt, de vrouw start de auto, nog even en hij ziet het gezin wellicht nooit meer terug. Hij heeft nooit geweten dat iemand daar cello speelde, misschien waren de ouders musici, misschien speelde de zoon of de dochter muziek, zoals zijn zus accordeon speelde.

Zou het meisje van de sociale dienst daar ook langs zijn geweest, om hun verhuis te bespreken?

Ik kan jullie een vrijstaand pand adviseren.

Terwijl ze staat te drentelen tot de overburen zeggen: ga toch zitten.

Ze gaat zitten en strijkt haar jurk glad.

Ja, de oude man die hier schuin tegenover woont, daar kom ik geregeld. Jullie kennen hem niet? Nog kras voor zijn leeftijd, maar soms vraag ik mij af of hij het niet beter zou stellen in een serviceflat.

En ze heft haar hoofd met een ruk, waarbij haar boezem beweegt.

Hij draait het raam en de straat de rug toe, hij is lang genoeg op zijn hoede geweest.

Na een kwartier haalt hij enkele aardappelen uit de doos onder de trap, neemt een oude krant, gaat aan de tafel zitten en schilt de aardappelen op het krantenpapier, een of twee naargelang de grootte. Veel eet hij niet, met de groente en het vlees erbij heeft hij gauw genoeg. Hij zet de aardappelen in een kom water op het aanrecht.

Wacht.

IK HAD HET gevoel dat ik precies op het juiste moment in het juiste tijdperk was geboren en de juiste dingen deed, zonder dat ik het zelf doorhad, om er volop gebruik van te maken, er mijn voordeel mee te doen.

Ik wist altijd de omstandigheden in de hand te werken, daar was weinig verbeelding voor nodig, de verbeelding was al aan de macht, hoorde ik van studentes die ik meenam met mijn vrachtwagen, Françaises en Zweedse en Hollandse meisjes, maar ook Spaanse en Britse, het hing overal in de lucht, als je het maar wist op te snuiven.

Ik snoof het op, de kruitlucht was amper uit mijn neusgaten verdreven, want zo rijk de wereld was aan vrouwen, zo rijk was hij aan oorlogen en brandhaarden, of ik kon de zoete, hunkerende geuren van blanke vrouwen besnuffelen zoals ik de hitsige, bittere dampen van de zwarte had ingeademd.

Toen ik terugkwam uit Congo was ik opgetogen dat ik mocht vaststellen dat Europa in snel tempo veranderde, de gouden jaren zestig, de zomers van liefde, de onrust, alles lag voor mij gereed. Ik kon onmiddellijk aan de slag bij het bedrijf in bouwmaterialen dat mijn aangetrouwde nonkel, een Italiaan, de eigenaar van de Volga M21, had opgericht en waar ze handen tekortkwamen.

In Europa werden volop huizen en bruggen gebouwd, wegen aangelegd en pleinen betegeld. De Italiaan had een klein bedrijf, maar met een goed gevuld orderboek. Er werkten vier of vijf arbeiders, het papierwerk deed mijn nonkel zelf, af en toe bijgestaan door een meesterknecht. Ik kreeg een taak bij de betonmolens en de mengkuipen, ze zagen dat ik armen aan mijn lijf had, ik werd gevraagd voor overuren, tot aan het vallen van de duisternis een nagekomen bestelling betontegels gieten of een lading plavuizen op een vrachtwagen laden.

Ik had andere plannen.

Na drie weken nam ik ontslag, tot verbijstering van mijn tante en haar Italiaanse echtgenoot, die mij toch bereidwillig aan een baan hadden geholpen.

In een opwelling, zo nam ik dikwijls mijn beste beslissingen.

De Italiaan wilde het ontslag niet aanvaarden, hij wond zich op, ik hoorde dat hij verschillende heiligen en zelfs de duivel aanriep, zoveel Italiaans begreep ik al, maar ik liet me niet ompraten. Ik vroeg mijn loon, zei dat ik hun allemaal zeer dankbaar en erkentelijk was, dat ik een andere baan op het oog had, iets dat beter bij mij paste, dat ze zich geen zorgen moesten maken. Ik meende het, al had ik nergens gesolliciteerd of zelfs maar uitgekeken naar een vacature. Ik had de wildernis, de muggen, de luizen, de zwarten en de blanken overleefd, de kameraadschap, het wegkwijnen en de eenzaamheid, ik wist dat ik zonder hen kon.

Ik stapte op de fiets die ik van mijn broer had geleend en reed weg met het geld los in mijn zak en de verwensingen van de Italiaan en mijn tante in mijn nek.

Het was een mooie dag, die ik verdronk om mijn vrijheid te vieren, ik ruilde zelfs de fiets in voor drank en strompelde te voet naar mijn kamer bij mijn moeder en mijn broer op de boerderij.

Ik bereikte mijn kamer niet, niet die nacht, de deuren waren op slot. Ik klopte en riep, maar misschien niet luid genoeg, of te onsamenhangend. Mijn roep ging verloren in het gestamp en gestommel van de paarden en de varkens in hun stallen, het gekrijs van uilen en katten, het blaffen van de hond, of het kraaien van de hanen zelfs, want de lucht in het oosten werd al bleek, en ik kroop in de schuur in het hooi, waar mijn broer mij 's middags ontdekte toen hij de vaarzen kwam voederen.

Ze wisten natuurlijk van mijn ontslag, mijn tante en de Italiaan waren al op bezoek geweest.

Mijn moeder deed wrokkig, mijn broer hield zijn mond, maar ik kon van zijn gezicht de vraag aflezen hoe ik nu mijn kost en inwoning zou betalen.

Volgende week begin ik ergens anders, zei ik.

Ik had nog geen idee waar, maar ik was er gerust op, ik had al zoveel jobs achter de rug. Ik hoefde voor niemand thuis te blijven, ik kon vrachtrijder worden, in Congo had ik met allerlei voertuigen gereden.

De eerste vrachtwagen die ik onder mijn kont kreeg geschoven was een nukkige Scania-Vabis, mijn eerste lading bestond uit kisten citrusfruit en balen koffie die ik van de haven naar een depot in Luxemburg moest brengen.

Ik had geen verplichtingen, geen gezin en een sterke maag. Ik kon me aanpassen aan de bedwelmende woestijnhitte of de ijzige poolkou, niemand zou op me wachten, waar ik me ook bevond.

Er wordt alleen op de vracht gewacht, zei de chef.

Ik behield de krappe kamer bij mijn broer op de hoeve, de meeste nachten bracht ik onderweg door in de cabine van mijn voertuig, op parkeerterreinen langs de autostrades. Ik kwam op onregelmatige tijdstippen thuis, bracht af en toe een kist sinaasappels, een tros bananen, dozen koffie of zelfs een serranoham mee. Europa bulkte van de hoop en de toekomstverwachting, vliegtuigen schreven met gekleurde rook slagzinnen in de lucht, de hemel zelf was het uithangbord.

IK DUW HET gaspedaal in. De vrachtwagen brult, maar ik heb hem aan de voet. Als ik deze snelheid kan aanhouden, me niet meer laat afleiden, rijd ik Italië uit, heel Zwitserland door en kom ik vandaag nog een flink eind in Duitsland. Als ze bij de douane niet lastig doen en er niet ergens weer wegwerkzaamheden aan de gang zijn, kan ik de verloren tijd – niet voor mij, maar voor de firma, want die heeft geen boodschap aan een roezig uitgelopen maaltijd – nog goedmaken.

De kortste weg over de Sint-Bernard leidt door een tunnel. Ik heb weinig keuze, ik waag de gok, al reikt de lading meer dan vier meter hoog, misschien wel vier meter twintig, ik wil hoe dan ook door de tunnel.

De Italiaanse douaniers gaan slordiger te werk dan hun Zwitserse collega's, toch doen ze langer over de controle. Ik mag hen niet opjagen, want dan worden ze nijdig en zijn ze in staat nog trager te werken. Ik doe of ik net als zij alle tijd van de wereld heb, hang ongeïnteresseerd uit het raampje van de cabine, rook omstandig een sigaret, blaas de rook naar boven, kijk hoe hij langzaam naar de toppen van het gebergte kringelt, tot de douaniers eindelijk met een korte, doffe klap de laatste stempel op de documenten zetten. Ik maak dat ik wegkom.

Vlak voor de tunnel geeft een bord de maximum toegelaten hoogte van de voertuigen aan. Ik vertraag en met mijn hoofd schuin uit het raampje schat ik mijn kansen en rijd bijna stapvoets de tunnel in.

De vrachtwagen komt niet klem te zitten.

Ik laat het licht dat me aan de hemel zo zacht, en aan de horizon zo scherp toescheen, achter me. Ik schakel de kruislichten aan, mijn ogen wennen snel aan de tunnelschemer, ik geef opnieuw gas. Als de Zwitsers en de Duitsers voortmaken en ik houd de nacht kort, wat me geen moeite zal kosten op een strook Duitse heimatgrond langs de kant van de weg, ver van de steden en dorpen, als daar een vrouw opdaagt, gaat het snel en zakelijk, ben ik voor morgenmiddag in België en kraait geen haan naar de verloren tijd.

Ik gooi de vrachtwagen in een lagere versnelling, aan het einde van de tunnel waar het grimmige Zwitserse licht al gloort, lijkt iets aan de hand, ik zie wagens uitwijken en vertragen, overal gaan remlichten gloeien.

Allemaal overbodig, iedereen mag gewoon doorrijden, de politie staat zelfs driftig te gebaren dat de automobilisten hun snelheid moeten aanhouden zodat het verkeer in de tunnel niet gaat stremmen.

Ze gebaren naar mij en hun driftigheid lijkt zich te ontladen. Ik word naar de kant van de weg geleid, een motoragent komt vlak voor mijn bumper rijden en geeft te kennen dat ik hem moet volgen. Ik parkeer de vrachtwagen amper honderd meter voorbij de tunneluitgang op een pechstrook. Onmiddellijk word ik omringd door zes, zeven agenten. Ik moet uitstappen, ze doen druk en zenuwachtig, bijna paniekerig, alsof ik een terrorist ben of een misdadiger of dat de lading in lichterlaaie staat.

Heb je gedronken?

Ze willen mijn rijbewijs, mijn papieren, ze wijzen naar de tunnel, naar het dak van de cabine, naar de oplegger.

Kun je niet lezen? Ken je de verkeerstekens niet?

Op het dak van de cabine ligt glas, op het platform achter de cabine ligt glas, grote scherven.

Heb jij geslapen achter het stuur? Die trailer is te hoog! blaffen ze.

Blijkbaar had ik alle lampen van de tunnelkoker, de ene na de andere, alle lampen die er hingen, dat moeten er honderden zijn geweest, aan diggelen gereden. De oplegger kon door de tunnel, hij schuurde niet tegen het plafond, had zeker tien centimeter overschot, dat had ik zelf geconstateerd, maar inderdaad, die lampen hingen er ook nog.

Een nagelnieuwe tunnel, en ik had er het licht gedoofd, de ene lamp na de andere, ik hoor het de agenten herhalen, in het Duits, in het Italiaans, in het Frans. En drie keer concludeer ik: ik haal de verloren tijd niet meer in.

Dit zijn bederfbare goederen, probeer ik, want ze willen me aan de kant houden tot het duidelijk is wie de ravage zal vergoeden. De chauffeur of de firma? Welke verzekeringsmaatschappij? Dat wordt telefoneren, dat kan uren duren.

Achter mij reed iedereen in het donker.

Het was de eerste keer dat ik de kranten haalde, met mijn initialen, Belgische vrachtrijder zet tunnel in het donker. Een klein berichtje, maar toch, in bijna alle Europese landen.

Ik heb de knipsels niet bewaard.

Hij grinnikt.

Hij zit aan de tafel, de krant met de aardappelschillen nog voor zich.

Hij is vergeten zich na het ontbijt te scheren. Vroeger was het een gewoonte, na het opstaan, Simone kookte het pannetje water dat hij nodig had terwijl hij de scheerzeep, de kwast, de aluinsteen en de spiegel op de tafel zette.

Toen Simone het huis uit was en hij haar iedere dag ging bezoeken in het rusthuis, hield hij dat ritueel aan. Kort na haar begrafenis begon hij het af en toe te vergeten. Tegenwoordig vergeet hij het meestal, terwijl het voornemen altijd is gebleven, alsof het vergeten deel is gaan uitmaken van het ritueel.

Hij neemt zijn scheergerei, legt het op de keukentafel, zet het pannetje water op het vuur. Terwijl het water opwarmt kijkt hij naar het muurtje waar de getijgerde nog altijd niet te zien is. De hemel blijft blauw, doorschenen van de zon, ideaal om gemaaid gras te drogen.

Het water kookt bijna, hij hoort het.

Het hoeft niet te koken, Simone wist precies hoe warm het moest zijn, hij vergist zich soms.

Hij klapt de scheerspiegel open, gaat bij het raam zitten, zo heeft hij de beste lichtinval. Hij stopt een handdoek met een tipje tussen zijn hals en zijn hemdskraag, spreidt de rest van de handdoek open voor zijn borst, neemt de scheerzeep en de kwast, dompelt de kwast in het hete water. Voorzichtig dept hij zijn wangen en hals, om de huid wat soepel te maken, om vast te wennen aan de zeep.

Een overbodige handeling, weet hij, het werd een gewoonte.

Daarna wrijft hij de natte kwast kwistig over het zeepblok tot zich dikke vlokken schuim ophopen die hij met korte draaiende bewegingen over zijn hals, zijn wangen, zijn kin en rond zijn lippen smeert, lauw op de huid.

Hij kijkt naar zijn gezicht in de spiegel die het beeld vergroot, een man met een volle witte baard, het maakt hem bijna leeftijdloos. Hij ontplooit een tevreden glimlach, een smal streepje bleekrood van zijn lippen ontbloot zich boven zijn tanden in het schuim.

Met twee vingers trekt hij zijn huid strak naast zijn oor, met de andere hand schraapt hij met een vloeiende beweging het mes over zijn wang. Behendig verschuift hij zijn vingers, trekt de huid van zijn hals strak, laat het mes met dezelfde beweging langs zijn hals gaan. Zijn kin en zijn bovenlip doet hij het laatst. Zelden brengt hij zich een snee toe. Nog altijd beven zijn handen niet, hij neemt er de tijd voor, een handeling die hij ongeschonden uit het verleden heeft bewaard, de scheerspiegel toont ieder detail.

Hij maakt de handdoek los van zijn kraag, spoelt de kwast uit in het pannetje, maakt het scheermes schoon. Dan neemt hij de aluinsteen, maakt zijn vingers nat, bevochtigt de steen, wrijft hem behoedzaam over zijn gezicht. Ook een gewoonte, een verkoelende aanraking. Daarna streek Simone hem over zijn wangen, om te voelen hoe feilloos hij zich geschoren had.

Tot ze het op een keer vergat.

Hij stond er niet bij stil.

Ze vergat het vaker, er vielen gaten in haar gedrag, niet alleen in haar geheugen.

Hij kijkt op de klok: de tijd heeft een sprong gemaakt, plots is het bijna middag, moet hij zich haasten voor de maaltijd, de groente, het vlees, het potje pudding achteraf.

Altijd is er wel een moment, soms twee of drie per dag, waarop de tijd een sprong maakt. Een teken van mededogen, denkt hij, opdat de avond op tijd komt.

Wanneer kan het gebeurd zijn, tijdens het scheren, tijdens het aardappelen schillen, of eerder?

Het moment zelf kan hij nooit betrappen.

Hij schudt zijn hoofd, met Simone erbij had hij het geweten.

Hij haalt het vlees uit de koelkast, legt het in een bord, strooit er zout en peper over, vooral peper, bemoeit zich dan met de groenten, terwijl het vlees de kamertemperatuur aanneemt, hij bakt nooit rechtstreeks uit de koelkast, dat deed Simone ook niet, hij zet de aardappelen op het vuur, snijdt de groenten, maakt saus en ten slotte bakt hij het vlees.

Soms heeft hij het gevoel dat hij zichzelf bezig kan zien, dat hij zich uit zijn handelingen kan terugtrekken en van een afstand gadeslaan hoe alles verdergaat. Dat hij ziet hoe hij de tafel dekt, alles voor zich uit schikt.

Wanneer hij stukjes van het vlees snijdt, prakt hij haast vanzelf de aardappelen, die van het doorkoken al bijna uiteenvallen, onder de groenten. Hij werkt hap na hap naar binnen, ruimt snel de tafel af en haalt een potje pudding uit de koelkast, lepelt het leeg tegen het aanrecht geleund.

Daarna gaat hij op zoek naar het schaapherdersmes uit Italië.

Het ligt in de gereedschapskist, zoals hij zich herinnerde. Ingevet, boterpapier eromheen gedraaid.

Hij legt het mes in zijn handpalm, een oud mes op een oude hand.

Hij beproeft voorzichtig met zijn duim de snede. Nog altijd vlijmscherp.

Het lemmet oogt dof, dat komt door het vet, als hij er een paar keer mee snijdt, glimt het weer zoals toen hij het voor het eerst in de hand had. Toen blikkerde het in de Italiaanse zon, de herders gaven er elkaar signalen mee in de bergen.

Hier valt geen signaal meer te geven, niemand die nog wat van hem verwacht.

Zoveel bravoure vroeger, zo eigengereid, nu moet hij erom glimlachen, terwijl hij het mes in een tas stopt. Hij haalt een flesje bier uit de koelkast, stopt het bij het mes en grist ook nog een flesopener mee.

Hij kijkt naar de lucht, blauw, en bleek waar de zon hangt, een paar kleine wolken.

Ook een vliegtuig dat niet lang geleden is opgestegen, het klimt nog, een viermotorig toestel.

Sinds hij terugkeerde uit Afrika, bij zijn broer introk en met de vrachtwagen ging rijden, heeft hij geen voet meer in een vliegtuig gezet, een afgesloten hoofdstuk. Nooit spijt gehad, of beter, het nooit tot spijt laten komen.

MET KWIEKE STAP begint hij aan de wandeling, een echte tocht wil hij het niet noemen, buiten het klimmen van de winkelstraat valt in deze uithoek van Brussel geen hindernis te overwinnen.

Eerst tot aan de wasserette, tot daar kent hij elke tegel, elke stoeprand, elk riooldeksel, al jaren struint hij hier rond. Ginder is de tramhalte voor wanneer hij dieper de stad in wil, hij kan naar het Zuidstation of het Noordstation, en vandaar een bus nemen naar de plaats waar hij opgroeide, waar nog altijd zijn broer woont, waar zijn moeder begraven ligt.

Ze heeft gedaan wat ze kon, toen ze stierf, belde mijn broer me, een zondagochtend, ik ben er onmiddellijk naartoe gegaan, heb mijn moeders voorhoofd gekust, mijn hand op haar arm gelegd. Als ze er na haar dood nog was, moet ze het gevoeld hebben, als er na de dood niets is, kon het ook geen kwaad.

Ik wist dat ik na haar begrafenis niet meer bij mijn broer zou aankloppen, dat wist ook mijn broer. We stonden schouder aan schouder bij de grafput, we hebben elkaar de hand gedrukt, hij nam de spade, ik nam de spade, we wierpen elk een kluit aarde op de kist, plof, plof. Dat was het. Ik bedronk me bij de koffietafel, met oude vrienden die waren opgedaagd. Achteraf kreeg ik nog een uitnodiging van de notaris, ik ben er nooit naartoe gegaan. Ik vroeg alleen haar po.

Ik ben jaren niet meer op dat kerkhof geweest, soms denk ik, ik neem de bus, maar uiteindelijk doe ik het niet. Ik heb geen zin om naar een steen met een kruis te staren, het verleden blijft waar het is.

Zijn vroegste herinnering aan dat verleden gaat terug tot de middag waarop hij in het hok kroop van de oude hond, een Duitse herder, die zijn vader in ruil voor tweehonderd sigaretten had meegebracht uit Duitsland. Ze hadden de hond Saturnus genoemd en niemand, ook zijn vader niet, had een verklaring kunnen geven voor die hondennaam op een boerderij waar verder over sterrenkunde met geen woord werd gerept. Al herinnerde hij zich ook avonden waarop hij, vlak voor hij naar bed moest, met zijn vader naar de donkere hemel tuurde vol lichte stippen en zijn vader hem geduldig de Grote en de Kleine Beer aanwees en de Poolster en de Zwaan en ondertussen keek of het zou vriezen, of het weer ging aanhouden of niet.

Op de boerderij keken ze vooral naar de grond. Wanneer ze naar de hemel staarden, was het om na te gaan wat eruit kon vallen dat goed of slecht was voor de gewassen, voor de oogst of het hooien. Dat volstond om het lot te bepalen. Werken, daar konden ze niet onderuit. De hemel was in het beste geval voor het hiernamaals.

Hij herinnert zich hoe hij achter het warme hondenlijf zat in het benauwde donker van het hondenhok waar vliegen zoemden, zijn rug tegen de achterwand gedrukt en voor zich de hondenkop met de oren rechtop en het roestige rammelen van de ketting iedere keer dat de hond zijn kop bewoog. Hij voelde zich merkwaardig op zijn gemak.

Boven de hond was in de ovale uitsnijding van de ingang het felle licht te zien dat langs de gevel van het woonhuis en de stallen viel en op het wc-huisje dat tegen de gevel was aangebouwd. Toen ze hem kwamen zoeken om aan tafel te gaan, riep hij, vanachter de brede rug van Saturnus, fier waar hij zat. Hij zag zijn moeder angstig de hand voor haar mond slaan.

Blijf daar, niet bewegen, riep ze.

Ze holde weg om zijn vader te halen. Daarop probeerden ze de hond, die was gaan grommen, de haren overeind, te lokken met melk en brood en vlees, terwijl ze hém voortdurend aanmaanden niet te bewegen, niet de aandacht van de hond te trekken.

Voor zijn moeder leek het een eeuwigheid te duren – voor hem was het of de tijd in het hondenhok stilstond, terwijl alleen de vliegen naargeestig bewogen.

Uiteindelijk liet de hond zich verleiden door een gebraden kippenvleugel die ze bij de middagtafel hadden weggeplukt. Ze lokten hem tot waar zijn ketting het toeliet. Toen haalde zijn vader, een stok in de hand, een juten zak rond zijn arm gebonden, de kleine jongen geruisloos uit het hok en bracht hem snel buiten het bereik van het beest.

Pas achteraf, toen het verhaal keer op keer werd opgehaald, hoorde hij vertellen hoe vals de hond toen was, een goede waakhond, maar onbetrouwbaar tijdens zijn laatste jaren.

Naar hem had Saturnus nooit gebeten of zelfs maar zijn tanden laten zien. Hij was erbij toen het beest, later, stokoud en zijn achterpoten verlamd, met een ijzeren staaf werd afgemaakt. Zijn vader had het dier met één slag de schedel willen inslaan, maar het beest was blijven huilen, zelfs na vijf slagen, het leven wou er niet uit. Na afloop had hij de staaf gezien, krom geslagen.

Nu denkt hij al vooruit, aan het gras dat hij zal snijden, of hij de handeling nog in de vingers heeft, de korte zwaai, net tegen de grond, zodat de halmen niet te veel meebuigen, want dan scheurt het gras, je moet het snijden, tsjak, tsjak, vanuit de pols en de onderarm, die kracht heeft hij nog wel, als de aanzet goed is, de zwaai beslist.

Hij is al op de hoek, daar ligt de wasserette, daar begint de weg omhoog, hij voelt amper dat hij heeft gestapt, het mes en het flesje bier in de tas wegen niet veel, zijn jas hangt los, de zon verwarmt hem, een ideale dag voor deze missie. Hij glimlacht.

Hij wandelt tot bij het eerste perceeltje braakland, tussen de huizen.

Melkdistels, spurrie, zuring, kleefkruid, hij herkent het nog allemaal, fronst de wenkbrauwen: hoe het goede gras daartussenuit snijden?

Hier en daar ligt vuilnis, uitpuilende zakken, half overwoekerd door netels en distels, vastgehouden door het kleefkruid.

Halverwege het perceel staat het wrak van een oude Lada, de voorruit is weg, een wiel is verdwenen, van twee andere zijn alleen nog de velgen over. Het portier gaat gemakkelijk open, schurend, piepend, dat wel, een versleten geluid dat geolied moet worden.

Hij gaat even in de deuropening zitten, half op de achterbank, haalt het flesje bier en de opener uit de tas.

Hier zit hij prima, hij kan zijn benen laten rusten en de warmte in het wrak doet het bier nog beter smaken. Hij neemt een paar flinke slokken.

Dan wacht hij een ogenblik op de boer die opwelt van diep onder aan zijn slokdarm, tot hij eruit is, met een woeste, bittere smaak in zijn mond. Hij glimlacht vergenoegd.

Die glimlach na een oprisping kon Erna vertederen.

Hij neemt nog een slok, wrijft werktuigelijk met de rug van zijn hand over zijn mond, dat gebaar vergezelt hem al van bij zijn eerste slok, aan het einde van de Tweede Wereldoorlog. Daarna laat hij de hand op zijn knie vallen.

Ik moet het juiste gras vinden, halmen die lang genoeg zijn, niet van dat mierengras dat hier vooraan staat, te bros en te kort. Ginder, een eind voorbij die hoop vuilniszakken, daar staat een strook van de juiste soort.

Hij heft zijn biertje omhoog, alsof hij toost op de zon, drinkt dan in een lange teug tot het flesje leeg is.

Helemaal alleen op een stuk braakland, wie hem ziet denkt natuurlijk dat hij konijnenvoer komt snijden. Met een vlugge beweging vanuit de pols, precies zoals hij het zich heeft voorgesteld, het mes plat tegen de grond, in een korte ruk, legt hij het eerste bosje grashalmen neer.

Het mes is geen sikkel, het lemmet is niet veel langer dan zijn handpalm, veel kan hij niet snijden met een enkele beweging, het is de opeenvolging van de ene slag met de pols na de andere, tsjak, tsjak, die hem doet vorderen.

Na zes, zeven slagen heeft hij een klein bundeltje gras bij elkaar, genoeg voor een konijn, maar niet voor de hoeveelheid hooi die hij nodig heeft, en hij moet al ophouden, de rug rechten, kijken waar er nog een goede plek is, hier groeit al weer te veel onkruid. Hij wil geen zuring en spurrie tussen de pannen.

Hij steekt een sigaret op.

Natuurlijk herinner ik mij dat gedoe met Martha, ook al is het bijna zestig jaar geleden. Het staat in mijn geheugen gegrift zoals het er toen is ingekrast, met een scherpe nagel. Ze was niet het mooiste meisje, maar ze was verre van lelijk en ze had de schoonste vormen onder haar kleed. Ze bewoog als een dier.

Die avond was ze vrolijk en toegeeflijk en ze dronk zoals wij allemaal.

We fietsten met haar mee langs het kanaal, ze had niets door, haar neef was ook mee.

Bij de hazelaars en de vlierstruik duwde George met zijn voet tegen het voorwiel van Martha's fiets zodat ze in de berm viel. We mochten niet langer wachten want nog geen honderd meter verder lag de afslag naar haar huis, waren we de dekking van de kanaalberm kwijt.

René greep haar vast, maar ze verweerde zich, en ik dacht dat hij zou aarzelen, dus gooide ik mij zonder omzien op haar, George vond het goed, ook al hadden we hem aangewezen om het als eerste te doen. Hij hielp me haar onderbroek uittrekken, ik legde een hand op haar mond en ik neukte haar.

Natuurlijk vergeet je dat niet, je legt iemand je wil op.

Het scherpst bleef me bij hoe eenvoudig dat gaat.

Martha kon daar bij de hazelaars aan het kanaal geneukt worden. En je doet het of je doet het niet, daar moet je achteraf niet over zeuren. Op zich is een mens niet meer waard dan een kat. Het zijn de verhoudingen tot elkaar en het gefilosofeer daarover die de mens zijn betekenis geven.

Toen het de dag daarop mijn vader ter ore kwam, ontblootte ik gewillig mijn rug en mijn armen.

En bij elke slag van de teugel, waarin hij me eerst een paar knopen had laten leggen, bij elke slag dacht ik aan de stoten die ik Martha had gegeven, en ik voelde een trotse kracht, een macht die zo sterk was als die van mijn vader. Het ondergaan van de straf was daar eenvoudig een deel van.

Ik schreeuwde een paar keer zodat mijn vader door mijn koppigheid niet te verbeten werd en toen was ik ervanaf.

De week daarop werd ik op een vliegtuig naar Congo gezet, naar de plantage van mijn zus.

Ik heb me over Martha nooit zorgen gemaakt. Voor mij is
zij het meisje dat ik die nacht met drie anderen heb gepakt,
dat zich verzette en van wie ik als eerste het verzet heb
gebroken.

EEN PAAR FIETSERS rijden hem voorbij, hij groet ze, maar hij kent hen niet, ze groeten niet terug.

Ze zien een oude man die door een afgekalfde wijk dwaalt en naar de gaten tussen de huizen gluurt alsof daar een landschap zou liggen.

Met de vrachtwagen in Zweden, in Algerije en daarvoor toen hij rondtrok in Congo, heeft hij echte vergezichten gezien. Die zijn in zijn herinnering gestold op dezelfde manier als Martha, momentopnamen, een minuut, een kwartier, of zelfs een keer een uur dat hij overrompeld werd. Het besef op dat moment op die plek te zijn en niet ergens anders op de aarde.

Hij gooit de sigaret onder zijn voet en wrijft er met zijn schoenzool het vuur uit.

Hij wandelt voort en bedenkt dat als hij nog twintig minuten verder wandelt, hij de stad achter zich laat. Daar ligt een weide naast een viaduct waar ongetwijfeld beter gras te snijden valt.

Ik kan er in ieder geval gaan kijken, denkt hij. De zon staat nog hoog, al is de middag al aardig gevorderd.

Het geraas van auto's wordt een geruis op de achtergrond, het waait uit, het verdunt, maar weg gaat het niet.

Hij voelt weinig verwantschap meer met dat geluid.

Vroeger wist hij haast feilloos of het om een Mack ging, een Bedford, een M.A.N., een Volvo, een Scania-Vabis, een Dodge, een Mercedes of welke truck ook, alleen maar door naar het draaien van de motor te luisteren. Die geluiden zijn uitgestorven.

Zoals hij ook geen Dorniers of Fouga Magisters meer hoort. Dat soort gevechtsvliegtuigen is achterhaald.

Hij volgt een eindje de verharde weg, dan moet hij langs een karrenspoor om bij het weiland te komen.

Hij stapt behoedzaam over het hobbelige zand dat hier en daar met graszoden is begroeid, zijn gezicht naar de grond gericht. Iedere oneffenheid merkt hij op.

Ook nu nog zou hij door de brousse kunnen dwalen en ieder verdacht spoor, elke mogelijke valstrik, ieder ongepast detail, elke aanwijzing voor een boobytrap registreren.

Je moest vooral op jezelf vertrouwen, de Polen waren te roekeloos, de Britten te terughoudend, de zwarten te nonchalant, discipline was goed zolang het inderdaad hielp, maar op sommige momenten moest je gewoon je verstand gebruiken.

Het mooiste was de lucht in gaan met de Dorniers, de zinderende hemel, dagen waarop je zelfs geen wolk achterna kon zitten, de onbeschermde, brandende zon op haar gouden troon. Beneden de bonte schakeringen van de brousse of de savanne, de loop van een rivier, het sprankelen van een meer, het blinken van een zinken dak, of de gelijkmatige patronen van een groepje hutten, een dorp of een paar verspreide plantershuizen, een kerk, een missiepost.

Ik vloog laag genoeg om te zien of er wat aan de hand was op het marktplein, of er beweging was over de rivier of langs de wegen of zelfs in de bossen wanneer ze zich te haastig hadden willen camoufleren. Ze rekenden er niet op dat er een vliegtuig zou verschijnen. Soms gaf ik hun een salvo, voldoende om hun opmars te vertragen omdat ze dekking moesten zoeken, of alleen al om duidelijk te maken dat ik ze had opgemerkt, dat hun posities bekend waren.

Over de precisie van de salvo's hoefde ik mij niet te bekommeren. Tsjombe en zijn Katangezen waren al blij dat ik het toestel in de lucht kreeg en het iedere keer weer veilig terugbracht.

Meestal vlogen we met twee of drie toestellen om elkaar te ondersteunen, of misschien bedoelden ze om elkaar in het oog te houden, want niemand wist hoe betrouwbaar we waren in onbetrouwbare omstandigheden. Maar regelmatig vloog ik alleen, omdat de andere toestellen in reparatie waren of wegens gebrek aan brandstof aan de grond moesten blijven.

Feit was dat ik met iedereen goed kon opschieten, omdat ik bij geen enkele zaak belang had, het vóór niet billijker of rechtvaardiger vond dan het tégen.

Niemand had er nadeel van dat ik mijn boordmitrailleurs en mijn trefvaardigheid oefende op een paar gieren die ik in het vizier kreeg en die ik een heel eind over de savanne opjoeg tot ik eerst de een en dan de ander als een gevederde zak lorren naar beneden zag tuimelen. Het had mij meer tijd gekost dan ik had gegokt.

Het bleven de enige twee lijken die ik met zekerheid vanuit dat vliegtuig heb gemaakt.

HET GRAS ZIET er sappig uit, een weide met wat paardebloe-men en boterbloemen, maar vooral volop gras, bijna zonde om er een pannendak mee dicht te stoppen.

Hij bukt zich.

En precies zoals hij op het braakland deed, snijdt hij met een paar vlugge halen bundels hoogwaardig gras bij elkaar.

Hij veegt, terwijl hij nog gebukt staat, het mes schoon aan zijn broekspijp, onderaan bij zijn enkel, daar valt het niet op.

De geur van het versgemaaide gras houdt hem nog even gebogen met zijn neus boven de zak. Die geur ruikt hij nooit in de stad, zelfs niet als in het park wordt gemaaid.

Hij komt overeind, de geur die het hooi straks zal heb-ben, kan hij zich nu al inbeelden.

Die geur vergeet je niet.

Hoe vaak heeft hij niet in het hooi gespeeld. En het later zelf binnengehaald, de schoven op een platte wagen getast, en het daarna op de zolder gestoken boven de stallen.

Toen hij terugkeerde uit Congo had zijn broer een nieuwe, grote schuur opgetrokken naast de paardenstallen. In die schuur stond het stro van een hele zomer in een hoek bij-eengestapeld.

Hij herinnert het zich scherp, glimlacht.

De beslissing was al eerder genomen, het was nog slechts wachten tot hij met zijn vrachtwagen een geschikte lading op een geschikt moment zou vervoeren.

Aan dat moment hielp hij zelf mee zodra de lading zich leek aan te dienen.

's Middags werd hem meegedeeld bij welke fabriek hij nog diezelfde dag een partij waspoeder moest oppikken om die zo snel mogelijk naar Italië te brengen. Hij vertrok meteen. In de fabriek hielp hij een collega zo slecht met het manoeuvreren bij de laadkade dat ze bijna een half uur lang de kade blokkeerden. Het laadschema moest omgegooid worden en hij slaagde erin achteraan op de lijst te komen, zodat het al haast donker was toen hij met de lading vertrok.

Zijn bijrijder, een jonge kerel die hij zelf bij zijn baas had aanbevolen, was op de hoogte, ze zouden de opbrengst delen en verder hun mond houden, wat er ook gebeurde.

Hij reed in één ruk naar de boerderij van zijn broer.

Het was laat, de smalle straten van het gehucht waren verlaten, hij gleed er in een egaal, monotoon tempo door. Misschien meenden de bewoners die al in bed lagen of voor hun televisietoestel hingen dat nog een verlate tractor op pad was. Aan een vrachtwagen, een truck met een oplegger, op dat uur, zal wel niemand gedacht hebben.

De boerderij lag afgezonderd aan het eind van het gehucht, het laatste huis van een straat die uitloopt in een veldweg.

Eenmaal daar dooft hij de lichten. Op de aanwijzingen van zijn bijrijder rijdt hij met veel draaien en keren de oplegger achterwaarts het erf op. De waakhond aan zijn ketting blaft. Maar hij kent hem, hij roept hem vanuit de cabine vermanend toe. Het beest gehoorzaamt.

Dat dwingende in zijn stem dat dieren meteen herkennen, heeft hij in Congo geleerd.

Het moet snel gaan, dus laat hij de motor draaien wanneer hij uit de cabine springt. Hij aait vluchtig de waakhond over zijn kop en haast zich naar de achterkant van de oplegger.

Komaan.

Met een koevoet stevig in de hand, een kordate ruk, opent hij de verzegelde vrachtdeur.

Het zegel breekt.

Natuurlijk. Vooruit.

Hij gooit de poort van de schuur open. De lamp in de schuur geeft net genoeg licht om nergens tegenaan te stoten, genoeg om tussen de landbouwwerktuigen door de grote stapel stro te bereiken, erbovenop te klimmen en enkele balen te verwijderen, meer is niet nodig. Er moet niet te veel licht op deze zaak vallen.

De bijrijder komt al met enkele pakken waspoeder aanzeulen wanneer zijn broer met een verschrikt gezicht de schuur binnenkomt.

Hij legt hem in een paar woorden uit waar het om gaat.

Ze verbergen waspoeder onder het stro. Daar mag zijn broer ook van gebruiken. Maar zij zullen het waspoeder voor een spotprijs verkopen en zijn broer of wie dan ook moet over deze handel zijn mond houden.

Het dwingende dat hij tegenover dieren in zijn stem legt, gebruikt hij ook tegenover zijn broer.

Ga maar weer slapen, als iemand ooit iets vraagt, heb je niets gezien of gehoord, ben je niet opgestaan vannacht, heb je de hele tijd geslapen. Zelfs de hond heeft niet geblaft.

En zijn broer gaat inderdaad het huis weer in.

Hij werkt nog een half uur verder met de bijrijder tot er genoeg dozen onder het stro zitten. Hij knipt de lamp uit, sluit de schuur, sluit de vrachtwagen, ze rijden het erf af.

De hond heeft geen kik meer gegeven.

Hij ontsteekt de lichten wanneer hij weer door de smalle straten rijdt op weg naar de grens met het Groothertogdom Luxemburg.

Ze parkeerden een paar uur langs de kant van de weg in de buurt van Aarlen. De koevoet had hij tijdens het rijden ergens in de bossen gegooid. Ze sliepen lang en diep genoeg in hun bedden achter in de cabine om dieven de kans te geven de laadruimte open te wrikken, het zegel te verbreken en er met een grote partij vandoor te gaan.

Vroeg in de ochtend, het was nog aardedonker, arriveerden ze aan de grens.

Het waren de Luxemburgers die het ontbreken van een deel van de lading opmerkten. Dat was een meevaller: ze bevonden zich al in het buitenland.

Een verhoor, heen en weer getelefoneer met het bedrijfskantoor, overleg met de Belgische douane. Uiteraard werden ze zelf verdacht, de bijrijder en hij, maar ze hielden allebei voet bij stuk. Ze hadden geslapen vlak bij de grens en waren vroeg vertrokken, ze wilden als het meezat voor de avond Italië halen. Het oponthoud maakte dat nu al onmogelijk.

Hij stak een sigaret op, wat zowel kon betekenen dat hij nerveus was, of integendeel, dat hij relaxed was, kalm, zich neerlegde bij feiten waar hij niets aan kon doen.

Nadat de politie alle formaliteiten had afgehandeld, mochten ze verder rijden. Het resterende waspoeder moest op zijn bestemming geraken.

In Italië pikten ze een lading espressomachines op die ze veilig naar België brachten.

Het kantoor had hen per telex en per telegram gewaarschuwd op te letten en alleen op bewaakte parkeerterreinen te overnachten.

In België mochten ze meteen de vrachtwagen inleveren. Ze kregen zonder meer allebei hun ontslag.

Wat gaf het? Hij kende het vrachtrijdersmilieu, een week later had hij opnieuw werk. Zoveel ervaren kerels die zonder morren de ene lange tocht na de andere wilden ondernemen, waren er tenslotte niet.

In de daaropvolgende weken verkocht hij tientallen dozen waspoeder, in cafés en via via kwam hij moeiteloos aan klanten. Het verdiende een aardige cent bij en dat was maar goed, want het grootste deel van zijn loon ging op aan drank, het bordeel en sigaretten. Die toen overigens niet zo duur waren als vandaag de dag.

Na de kankerdood van Erna had hij even geprobeerd het roken te beperken.

Het viel moeilijk oude gewoonten te veranderen, ofwel gingen ze vanzelf over of je behield ze zonder erbij na te denken. Dikwijls zat hij terwijl een vracht werd gelost of geladen alleen in een café te staren naar zijn handen die met een bierviltje speelden en een sigaret tussen de vingers klemden.

Hij inhaleerde en hield de rook in zijn mond om die vervolgens met bewegingen van zijn tong en lippen en huig uit te stoten en wolkjes te produceren die figuren vormden. Dan keek hij hoe goed de figuren gelukt waren. Soms volmaakte cirkels die schommelend omhoog zweefden en uitdijden, soms paddenstoelwolkjes, soms een scheepje dat op de lucht dobberde, soms een hart.

In die stille ogenblikken oefende hij erop.

Zodra iemand het café binnenkwam met wie hij kon praten, brak hij zijn bezigheid af. Hij vormde zijn figuren alleen voor zichzelf, zoals iemand anders patience speelt.

Later hoorde hij van zijn broer dat de gendarmes waren langs geweest. Dat ze lange priemen in de berg stro hadden gestoken. Dat ze in de kelder en de zolders van de boerderij hadden gespeurd. Zijn broer en zijn schoonzus werden ondervraagd. De priemen hadden een paar pakken waspoeder beschadigd. Maar het poeder was zacht. De dunne kartonnen verpakking bood aan de priemen niet meer weerstand dan de strobalen en bij het terugtrekken werden de priemen door het stro schoongeveegd. De gendarmes hadden niets gevonden.

Natuurlijk spoorde dat gemakkelijke succes hem aan om het nog een paar keer te proberen. Koffie, macaroni, dat soort producten.

Hij mocht stommiteiten begaan, zoals de zaakvoerders van de transportbedrijven het noemden, bewijzen vonden ze nooit, en vermoedens hadden ze al zodra ze hem in dienst namen.

Hij dreef het niet te ver. Soms hield hij zich vier of vijf maanden gedeisd, nam hij een rit aan naar Saoedi-Arabië of Finland. Daarna verslapte hun waakzaamheid.

MIJN VADER BESLISTE, zonder met mijn moeder te overleggen, hij deelde het haar gewoon mee waar ik bij was, dat ik met de eerstvolgende vlucht naar Congo zou vertrekken om er te helpen op de koffieplantage die daar door mijn zus en haar man werd gerund. Mijn zus was een jaar ervoor naar de kolonie afgereisd. Ik had geen seconde aan Congo gedacht, maar toen het eenmaal beslist was, keek ik er onmiddellijk naar uit.

Ik werd weggestuurd omwille van de zaak met Martha. Die schande en de kans op een rechtszaak wilde mijn vader de deur uit.

Maar mijn leven ging gewoon voort. Ik was bijna negentien en op het punt beland dat ik vrouwen wilde neuken. Dat moest in Congo, ver van de bemoeienissen van mijn vader, ook kunnen.

Het werken op de plantage verveelde me geen ogenblik. Van het stuk land dat mijn zus en schoonbroer hadden toegewezen gekregen in de Kivustreek, moesten nog grote delen vrijgemaakt en ontworteld worden. Toen ik er aankwam, wilden ze beginnen met het droogleggen van enkele moerassen. Ze hadden een houten huis opgetrokken in het midden van het domein, op een kleine heuvel. Hun vrachtwagen moesten ze een kilometer daarvandaan achterlaten. Er liep alleen een smal pad naar de heuvel.

Ik moest samen met een paar zwarte werkers een eigen kamer tegen het huis aan bouwen. In afwachting sliep ik op een geïmproviseerde matras in de kamer bij de boy. Het hout kwam van de bomen die we omlegden aan de rand van de moerassen. De zwarten hielpen me de stammen op de vrachtwagen te laden om ze naar de zagerij te voeren. Het kostte ons een halve dag rijden. De zagerij lag op het domein van een Griek die ook thee verbouwde. Na een week hadden we de kamer klaar.

Ik dacht nog nauwelijks aan thuis, aan de tochten met vrienden op zoek naar plezier. Hier had ik de zwarten met wie ik goed wist op te schieten. Wat kon het me schelen of ze in dienst waren van de plantage of hun eigen gang gingen. Het grootste deel van de dag hielp ik sloten graven om de moerassen te draineren. Sloten van drie kilometer lang, uren in de zon onder wolken muggen en andere steekbeesten, maar de zwarte arbeiders gaven geen krimp en ik wilde niet voor ze onderdoen. Met honderden werkten we in een lange rij; de *capita*, zoals de voorman werd genoemd, lette niet op mij, omdat ik een blanke was.

De zwarten begrepen niet waarom ik hetzelfde werk deed als zij.

Ik had domweg geen idee wat ik anders had kunnen doen. Mijn schoonbroer gaf me in ruil kost en inwoning en een vergoeding die ik beschouwde als een soort van zakgeld.

Alles was nieuw.

's Avonds trok ik met de zwarten mee naar hun kampementen op de plantage. Ik dronk het bier dat ze brouwden, at de gerechten die ze bereidden. Ik maakte kennis met hun vrouwen en dochters. Het was moeilijk hun leeftijd te bepalen, hun verschijning bood me weinig houvast, hun gedragingen, de klank, de volheid, de ijlte van hun stem wanneer ze spraken of zongen, of fezelden of schreeuwden, de glans van hun huid, het priemen van hun blik, het neerslaan van hun ogen, de bewegingen van hun heupen, de onbeschaamdheid of de preutsheid van hun houding. Mij leek het toen nog van belang te weten of ik van doen had met een meisje van veertien of een vrouw van veertig. Maar ik leerde snel. Ik leefde van de dag in de nacht in de dag.

Ik was er nog maar een paar weken toen ik zonder mijn zus in te lichten de plantage verliet. Ik reed met een paar blanke jagers en zwarte drijvers mee naar de savanne waar we zouden proberen een neushoorn, een leeuw of een olifant neer te leggen.

We zaten op het terras van een lodge. Ik was de jongste blanke.

Ik dronk *pombe*, een zuur, schuimloos bier dat de zwarten brouwden en waarvan je maagpijn kreeg naarmate je dronken werd – waardoor je de maagpijn vergat, zodat je er nooit echt ziek van werd.

De andere blanken dronken een door Europeanen gebrouwen bier dat ze in literflessen in kratten meesjouwden.

In de savanne hoorden we het snuffelen en grommen van hyena's, het geritsel en vleugelgeklepper van vogels, voor de rest werd de nacht alleen gevuld door onze eigen stemmen die stilaan moe en dronken werden.

De boys sliepen buiten de lodge in tenten en hielden een vuur brandend, de jagers maakten zich klaar om naar de kamers in de lodge te gaan. Ik werd aangemoedigd om ook in de lodge te komen. Ze deden er geheimzinnig over. Alles was mij nieuw en om het even. Een maand eerder hing ik nog rond op kermissen en in cafés in een straal van amper tien kilometer rond het huis van mijn ouders.

Ik had veertien dagen plantage achter de rug. Naar blanke

normen was het hard werken, maar wat ik deed had iedere zwarte met plezier van me overgenomen.

In de kamer in de lodge hing een dichte duisternis die de olielamp niet kon breken. Het muskietennet bengelde ineengeknoopt tot een kluwen boven het bed waarvan de frisgewassen lakens het schaarse licht eerder leken op te zuigen dan te weerkaatsen.

Ik kleedde me uit, mijn hoofd suf van de pombe, mijn maag als een taaie spons zwellend in mijn buik. Mijn lichaam moet de vale tint van een spookverschijning hebben gehad.

Toen ik de klamboe losknoopte, voelde ik nog een aanwezigheid in de kamer.

Ik staakte mijn bewegingen, bleef een ogenblik doodstil.

Plots rook ik een zware geur van traag sijpelend zweet, misschien was ik te dronken om dit soort gedachten nog meester te zijn.

Ik schikte het muskietennet over het bed, probeerde het aan de randen goed onder de matras te stoppen, toen ik geknield op het bed met mijn handen tegen haar knieën of dijen stootte. Ik schrok niet, ik was alleen maar verbaasd, zowel om haar roerloosheid, haar volstrekte zwijgen, als om mezelf, dat ik haar aanwezigheid had gevoeld. Ze was donker met het donker en nu ze haar ogen opende, zag ik twee gloeiende stippen het duister doorpriemen. Ik greep de olielamp van zijn haak en toen zag ik haar zwarte contouren in het walmende licht. Ze had enkel een donkere lap om haar heupen gedrapeerd.

Ik gebaarde dat ze om het bed heen moest lopen naar deze kant, waar de klamboe nog los hing.

Traag schuifelde ze rond het bed naar mij toe. Ik bevestigde de lamp weer aan zijn haak. De muggen konden zonder problemen onder het gaas komen, de klamboe hing aan één kant open over de rand van het bed en noch zij noch ik greep in.

Integendeel, ze tilde het gaas voor me op en bleef zo staan, de muggen kregen alle tijd.

Ik draaide de olietoevoer dicht en had precies de tijd om onder het net te kruipen in het stervende licht voor het helemaal doofde.

Het ging vanzelf, zoals het met Martha vanzelf ging.

Bij het ontbijt wilden de jagers met grijnzende gezichten weten hoe de nacht was geweest, of ik last had gehad van het huilen van hyena's, of er misschien een mijn kamer was binnengedrongen.

Dit hoorde dus bij de geheimzinnigheid van de jagers, een jongeman die zijn eerste twee weken op het zwarte continent heeft doorgebracht, nauwelijks een voet buiten de plantage van zijn zus heeft gezet, en dan kijken hoe hij het ervan afbrengt.

Ze konden niet weten waarom ik in Congo was.

Hij stopt het gras in de tas, neemt hem op, schuifelt langzaam langs het karrenspoor weer naar de verharde weg.

Hij zal naar zijn woning terugkeren, in alle rust, de ene voet na de andere door het karrenspoor, het zand, de graszoden, speurend naar iedere oneffenheid, de zak in zijn ene hand, de andere arm vrij om bij iedere wankele stap naar een evenwicht te tasten.

Wanneer hij de straat naar de wasserette in slaat, is het verkeer al flink toegenomen.

Op het kruispunt wacht hij lang voor hij de straat oversteekt. Een vrachtwagen rijdt traag voorbij met een lading boomstammen – wat doet die wagen in de stad, maar hij weet hoe grillig de wegen van een chauffeur kunnen zijn. Hij hoort de motor grommen.

In de wasserette is nog maar één vrouw aanwezig. Ze sorteert linnengoed op een werkplank tegen een muur. Ze staat met haar rug naar het raam. Ze heeft brede schouders, mollige heupen, dikke benen. Haar kleren zien er deftig uit, haar gebaren zorgzaam maar een beetje mechanisch. En met dat weinige verdwijnt ze uit zijn leven, haar gezicht krijgt hij niet te zien.

MISSCHIEN HEEFT HIJ lopen dromen, mijmeren, in ieder geval is hij niet oplettend geweest, want nu staat hij met de huissleutel in het slot te morrelen, de zak met het gras en het mes en het lege flesje aan zijn voeten.

Hij kijkt de straat in. Voor het huis aan de overkant staat een nieuwe verhuiswagen geparkeerd, dit keer wordt hij uitgeladen.

Zo gaat dat, de een verhuist, de ander trekt erin, mens voor mens verandert de buurt, zo verandert ten slotte ook de wereld, denkt hij en gaat naar binnen.

Hij trekt zijn schoenen uit, zijn jas, het gras neemt hij mee naar het koertje, spreidt het uit in een hoek waarvan hij weet dat die veel zon vangt.

Dan gaat hij liggen in zijn fauteuil, sluit zijn ogen.

Rustig blijven nu, denkt hij, proberen niet te denken, als de slaap komt, laat hem komen, alleen maar soezen is ook goed, zolang het maar rusten is.

Ik trek me niets aan van de geluiden buiten, van het zonlicht dat aan de ruiten kleeft, van de tijd die voorbijgaat en zijn sprongen maakt.

Ik bekommer me nergens om, gewoon hier liggen.

Hier zat Simone graag.

Ik blijf denken, denkt hij, ik mag het mij niet aantrekken, laten komen wat komt, mij niet verzetten, zoals ik soms naar Simone keek wanneer zij hier zat. 's Avonds terwijl ik een glas bier dronk, keek zij naar een televisieprogramma, en ik keek hoe zij keek. Haar handen in haar schoot gevouwen, onophoudelijk met een duim over de huid van haar andere hand wrijvend, een kalme, geduldige, eentonige beweging. En in die kleine onnadenkende handeling, zag ik een glimp terug van mijn moeder, hoe ze met een haast eendere duimbeweging haar paternoster door haar handen liet gaan wanneer ze bad, 's avonds, toen de bommen uit de Tweede Wereldoorlog vielen of daarna toen de lucht alleen maar helder was en er niks te vrezen viel. Zoals ook de avond dat mijn vader me met de teugel sloeg. Haar vroomheid die niets tegen de wereld vermocht. Ze moest mij laten gaan naar dat verre Congo waar haar dochter koffie kweekte. Wat moest daar van mij worden?

Die vroomheid bezat Simone niet, het was alleen een bewegen van haar duim, maar ik hield het graag in het oog. Wanneer haar duim plots stilhield, een centimeter boven haar andere hand, wist ik dat er op de televisie iets op til was, een moment waarop de spanning steeg, waarna haar duim zijn wrijven hernam.

En als de avond vorderde, stond ze op uit de fauteuil, ging in de keuken twee koppen koffie zetten, en iedere keer vroeg ze, jij ook een kop? En iedere keer knikte ik ja, en dat wist ze al, en daarom ging het vragen niet meer vooraf aan het zetten van de koffie, het was een gewoonte geworden waarbij de volgorde van de dingen er niet meer toe deed. Het eindigde altijd met twee dampende koppen koffie en een paar koekjes.

En nu zit ik in deze fauteuil waar zij zo graag zat, terwijl de avond nog moet vallen.

Zijn hoofd zakt een beetje opzij, een glinsterend lijntje speeksel sijpelt uit zijn mondhoek, vormt een kleine vlek op het schouderstuk van zijn hemd. Zijn handen liggen in elkaar gevouwen op zijn buik. Af en toe ontsnapt het blazen van een zware adem aan zijn opbollende lippen. Zijn mond vormt een grimas, bijna een glimlach. Zijn bovenlip lijkt iets bleker dan de rest van zijn gezicht, alsof zichtbaar moet blijven waar zoveel jaren zijn snor heeft gestaan.

Hij schoor die weg een paar maanden voor de dood van Erna.

Een minuut ervoor had niemand kunnen zeggen wat hij van plan was. Hij nam een schaar uit de keuken, ging naar het balkon en daar, terwijl hij naar de hemel keek waar niets was te zien, knipte hij op de tast grote happen uit zijn snor, het metaal van de schaar kil op zijn lip. Dikke, rosse plukken vielen over de reling. Hij keerde terug naar de keuken, nam zijn scheergerief en zeepte zich in voor hij in de spiegel keek. Toen pas zag hij de laatste resten van wat zijn snor was geweest, die hij jarenlang had bijgeknipt, gemodelleerd en bevoeld, als losse eindjes koperkleurige draad uit het wit van het zeepschuim steken. Erna glimlachte toen hij haar kuste. Simone heeft hem nooit met een snor gekend.

Af en toe zuigt hij aan het draadje speeksel dat uit zijn mondhoek druipt, maakt een klein slissend geluid.

Nu hoort hij gejoel en gejuich bij een poel. Ik ken de poel, weet hij. Het zijn kinderen die er spelen. Een kronkelpad langs rijen bomen voert tot bij de hutten, het marktplein. Ik zie mezelf met een troep mannen in een pick-up. We dragen geweren en onvolledige uniformen. Twee zijn blank, de Deen en ik. De officier en de rest van de manschappen zijn zwart. We rijden het marktplein op, brengen de pick-up tot stilstand met de bumper vlak tegen het eerste kraampje.

Je hoort alleen de opgewonden stemmen van de dorpelingen, de wielen die door het stof ploegen, de lichte tik tegen het kraampje en dan het korte, krakende geluid van het opgeschrikte hout. De motor van de pick-up werd al stilgelegd terwijl hij nog uitbolde. Het kraampje blijft overeind, heeft maar een halve centimeter bewogen.

De verkoopsters leggen hun meest kostbare waren binnen handbereik, klanten rekenen haastig af of laten de koopwaar liggen en trekken zich terug, een paar jongemannen grijnzen hun grote tanden bloot. De manschappen springen uit de pick-up.

Ik onderhandel met een verkoopster over een paar rijpe ananassen, half in het Frans, half in het Chokwe, de plaatselijke taal. De zwarte officier en zijn soldaten praten met de mannen uit het dorp. Ze praten ook met de vrouwen, raken ze af en toe aan.

De dorpelingen willen zoals alle dorpelingen die we al hebben ontmoet, met rust gelaten worden, door alle partijen. Ze weten wat in deze streek in de grond zit en ze weten dat ze er niet bij kunnen. Ze willen niets te maken hebben met het koper, het uranium en het goud, behalve als ze er zelf ook rijk van kunnen worden. Natuurlijk zijn ze bondgenoten van de Katangezen, want deze grond is hun grond, en wie hun grond beschermt is een bondgenoot.

De Deen en ik knikken terwijl we, met de ellebogen op de laadbak van de pick-up geleund, elk met een groot scherp mes een ananas schillen en flinke stukken van de vrucht in de mond stoppen. Het sap druipt van mijn kin, lekt in kleine druppels op de kraag van mijn uniform.

De Deen kijkt op zijn horloge, maar daar is niets te zien, zwarte tijd wordt niet gemeten met blanke horloges. Het is de zon die boven de toppen van de bomen en de droge rivierbedding staat, die vertelt hoe laat het werkelijk is, en het knorren in de buiken van de manschappen, het jagen van het bloed, de schaduw die zich onder je voeten laat vertrappen.

Heb je gezien dat die schaduw altijd zwart is, ook al ben je een blanke?

Laat ze voortmaken, zegt de Deen, en, hebben ze geen kippen in dit dorp? Laat de vrouwen er een paar braden.

De zwarte officier lijkt tevreden. Overeenstemming bevordert tevredenheid.

Alles in het dorp, behalve hun komst hier op dit uur, langs de stoffige weg over de glooiingen uit de wouden verderop, ziet er dagelijks uit, gewoon, alsof het gisteren kon zijn of eergisteren, of morgen of overmorgen. Maar dat zal het niet blijven, dat weten de Deen en ik, dat weet de zwarte officier, dat weten de manschappen en dat weten de dorpelingen.

Eerst kwamen de Belgen, daarna de onafhankelijkheid, nu de Katangezen, wie wordt het morgen?

De manschappen verspreiden zich, het geweer in de hand. Ze roepen naar de dorpelingen die in een ommezien een vuur hebben aangelegd, kippen geslacht, geplukt, van de ingewanden ontdaan en aan een spies geregen.

De rook van het vuur kringelt vreedzaam omhoog, een ranke, dansende zuil, amper geroerd door de wind.

Het zijn de dorpsmannen die de kippen boven het vuur roosteren. Hoe mager de kippen ook zijn, af en toe lekt een druppel vet in de vlammen waaruit dan sissend een laaiende tong omhoog likt. De geur van geroosterde kip waait uit over het marktplein waarvan de kramen nu allemaal verlaten zijn, de markt is afgelopen. Hier en daar horen we een schermutseling, getrek en geduw, vloeken en smeken, iemand die krijst, hout dat kraakt, een jankende hond.

Laat ze voortmaken met die kippen, snauwt de Deen.

De zwarte officier blaft naar de mannen bij het spit, hij schreeuwt naar de manschappen die steeds verder in het dorp doordringen op zoek naar verborgen hoeken en kanten zonder zich nog te bekommeren om orders of bevelen.

De Deen tikt een van de dorpelingen bij het spit op de schouders en houdt hem zijn geopende hand voor. De man reikt hem de spies met de kip aan.

Ze moeten zich haasten.

De Deen maakt kregelig een uitnodigend gebaar, tast toe, en prikt een stuk van het witte borstvlees op de punt van zijn mes. Ook de officier prikt een stuk aan zijn mes.

Ik neem een poot tussen mijn vingers. Twee manschappen dagen op, graaien op hun beurt een stuk kip. Hier en daar tussen de hutten klinkt opnieuw geroep en gegil.

Hebben die rotzakken geen honger of wat? sist de Deen in het Engels.

Ik kijk naar de officier.

De officier haalt zijn schouders op, spuwt een kippenbotje in het zand, staat op en loopt naar het vuur. Hij rukt de tweede kip uit de handen van de man die haar nog staat te roosteren, loopt terug en gooit het vlees met een smak op de plank waar wij zitten.

Nu klinkt achter een van de hutten een schot.

Eén enkel schot.

Daarna valt een doodse stilte over het dorp. Een paar seconden.

Fraaie strategie, zegt de Deen in het Frans, terwijl hij verder eet.

Dan barst een gejammer los, een hond gaat janken.

De officier roept bars in de richting van waaruit het schot klonk.

De rest van de manschappen verschijnt, op twee na. De officier trekt zijn revolver.

Klotegedoe, zegt de Deen in het Duits, terwijl hij een bil van de kip scheurt.

De officier strekt de arm met de revolver omhoog, schiet tweemaal in de lucht.

Dit keer volgt geen stilte.

De harde tik van een steen die tegen onze pick-up slaat.

Getrappel van rennende voeten. Gekletter, stof dat opwaait.

Kom, de Deen gooit de kippenbout op de grond, stapt naar de pick-up. Ik volg hem. De officier roept naar de manschappen. Ze nemen hun wapens.

Een feestelijk maal, gromt de Deen.

We kruipen in de cabine.

Start maar, anders komen we hier nooit meer weg.

Enkele manschappen komen naar de pick-up gesloft, het geweer over hun schouder, ze hebben hun handen vol met stukken kip. De anderen volgen de officier die gaat kijken wat er tussen de hutten is gebeurd.

Ik start de pick-up. Een vette roetwolk braakt langs de marktkramen. Ik rij twee meter achteruit, daarna kan ik langs de kramen zwenken en de weg opzoeken.

We wachten, de motor draait, de manschappen kruipen een voor een in de laadbak. Opnieuw ketst een steen op het dak van de cabine.

Dadelijk treffen ze de voorruit, zeg ik.

De Deen knikt.

Het vuur brandt nog, maar de mannen en vrouwen die er stonden zijn verdwenen.

Er wordt opnieuw geschoten, twee keer, drie keer.

De Deen buigt zich naar het stuur. Hij toetert, twee korte ongeduldige stoten en één keer lang, loeiend.

Dan verschijnt de officier met enkele van zijn manschappen tussen de hutten vandaan. Ze slepen iemand mee in hun midden en richten hun wapens naar alle hoeken van het dorp.

Dat had hij kunnen weten, zegt de Deen. Ordinaire klootzakken.

Achter de hutten zien we dorpelingen hun loerende gezicht naar voren steken, hier en daar horen we geroffel boven het ratelen van de motor uit, stokken die op schilden worden geslagen, of messen of speren.

Het gezicht van de officier vormt een ijselijke grimas, hij zegt geen woord. De rug van de gewonde bloedt, zijn uniformjas is doorweekt, het bloed sijpelt in een flauw beekje langs zijn broekspijp.

Het gooien met stenen is opgehouden.

Ze willen ons hier zo vlug mogelijk weg, zegt de Deen.

De manschappen hijsen de gewonde aan boord van de pick-up. De Deen springt uit de cabine met een verbanddoos.

De motor ratelt, ik leg hem niet stil.

De Deen snijdt de jas van de gewonde aan flarden, legt zijn rug bloot, een gapende wonde onder zijn schouderblad, stroperige blubber, gepruttel van bloed.

Een stoot met een machete, zegt hij en strooit een of ander poeder over de wonde, bindt daarna enkele doeken strak rond de romp. De man kermt en kreunt en rilt. Zijn gezicht is asgrauw. Hij wordt in een hoek van de laadbak gesleept. De manschappen kijken onverschillig van hem weg. De Deen klimt weer in de cabine, de zwarte officier volgt hem. Ik laat de pick-up vertrekken. Voorzichtig, zodat hij niet te veel schudt en schommelt, al is dat op deze wegen niet te vermijden.

Zijn long is geraakt, denk ik, zegt de Deen, ik weet niet of hij nog een kans maakt.

De officier zwijgt, zijn grimas ontdooit niet.

Na een uur rijden voegen we ons bij een kampement waar twee vrachtwagens staan.

Eén dode, zegt de officier tegen een zwarte luitenant wanneer hij uitstapt.

Hij heeft gelijk. De man in de laadbak is overleden. Hij hoefde het niet te controleren.

De Deen en ik zetten ons bij enkele andere blanken op een bank die uit een laadbak van een vrachtwagen werd losgeschroefd.

In dit gebied is alles onder controle, zegt een Brit. Wat ging er mis?

Hij wilde een van de vrouwen, zegt de Deen, maar daar is het nog te vroeg voor, niet alle stammen hebben al uitge-maakt waar ze staan.

Bovendien was hij een Lunda en dat dorp hoort bij de Chokwe. Die hebben nog oude rekeningen te vereffenen. De machete ging diep en er kleefde een of ander gif aan.

Wat een wespennest, zegt de Brit.

Wat maakt het uit, zeg ik.

Ik was in Algerije, zegt een Fransman, daar was het niet anders.

Later hoorde ik dat tussen de hutten nog twee mensen werden gedood. De vrouw waarschijnlijk en de man die de machete in zijn rug plantte?

Het starten, het ronken van de pick-up, wordt aangedreven door een droog gesnurk dat opwelt uit zijn keel.

Hij slikt een paar keer, het snurken houdt op.

Laten komen wat komt, denkt hij nog.

Je was de laatste die ik heb gedragen, zei zijn moeder, je was de jongste. Ik heb jaren op een brief van jou uit Congo gewacht. Je schreef niet graag. Pen en papier, dat was niets voor jou, dat wisten we. Maar een paar woorden, zei ze.

Een paar woorden, zei hij.

Ja, een paar woorden maar.

Nee, zei hij, een paar woorden, dat ging niet, dat was nooit genoeg geweest.

DE PLANTAGE EN de beslommeringen van mijn zus en schoonbroer waren niet de mijne.

Ik was weinig in het huis. Wanneer ik een avond tot laat had gebrast en gezopen in het kampement met de zwarten, stond ik 's ochtends niettemin klaar, vrat de hele pan met eieren en spek leeg die mijn zus door Leopoldine, zoals ze de zwarte huishoudster had gedoopt, had laten klaarmaken, en begaf me zonder morren naar de graafwerken waar ik de alcohol snel uitzweette en vaststelde dat veel van de zwarte drinkers ontbraken. Er werden weinig woorden aan vuil gemaakt, wie niet kwam opdagen, kreeg die dag geen loon.

Ook de zorgen van de zwarten waren niet de mijne. Wanneer ik hen 's avonds terugzag en ze schooiden om brood of een zakdoek of geld, want ze schooiden om alles, gaf ik hun niets.

Geef ze een vinger en ze nemen een hand, zei mijn zus, en dat was ook wat de missionaris zei die af en toe op de plantage kwam.

Dat was wat iedere blanke zei. Mij ging dat niet aan. Ik gaf hun niets omdat ik het ook aan een blanke niet gegeven zou hebben.

Ik hielp hen het dak van hun kampement herstellen of een kruiwagen repareren die ze weet ik waar hadden bemachtigd. Ik leefde vooral mijn eigen leven. De plantage en het woonhuis vormden een eerste oriëntatiepunt in die jungle van nieuwigheden, ongedierte, hitte en vochtigheid.

Toen ik mij die middag aansloot bij een troepje blanke jagers op groot wild dat toevallig langs de plantage passeerde, had ik nog maar vier of vijf nachten in mijn eigen aanbouwhok geslapen.

Ik vroeg de capita of hij mijn zus op de hoogte wilde brengen en ik vertrok met de jagers zoals ik daar stond bij de moerassen, bezweet, jeukend, mijn hemd rond mijn middel geknoopt, mijn gezicht vuil en mijn schoenen bemodderd, zonder wapen, zonder vers ondergoed of propere kleren.

Toen ik na een week terugkwam, was mijn zus woedend.

De capita had haar niets gezegd, pas na herhaaldelijk rondvragen bij de andere zwarten had hij het zich plots herinnerd, waarschijnlijk had hij niet tussenbeide willen komen in de aangelegenheden van de blanken. Ik was vertrokken met andere blanken, verder was mijn zus niets te weten gekomen. Een brief met de melding van mijn verdwijning was al onderweg naar mijn vader. Ik moest meteen naar huis schrijven dat ik ongedeerd was.

Ja, zei ik, maar ik deed het niet.

Ik had het naar mijn zin. Ik wist dat Congo mij meer te bieden had dan de plantage.

Soms was ik vroeg op, zat al in de keuken bij Leopoldine terwijl mijn zus en schoonbroer nog op hun kamer waren.

Mijn zus was zwanger, had ze me verteld, want aan haar buik was het nog niet te zien. Ze vroeg me om het haar niet langer lastig te maken met wat ze mijn ingevingen noemde.

Terwijl ik daar zat te wachten op mijn pan met eieren en spek, keek ik naar Leopoldine die driftig in de weer was met potten en pannen.

Ze droeg een belachelijke blouse en een schort die helemaal niet pasten bij haar gratie en bevalligheid. Ze had een doek om haar hoofd geknoopt, ik had haar nog nooit zonder die doek gezien. Ik zei dat ze de doek van haar hoofd moest nemen. Ze keek me verbijsterd aan, voor zover ik dat van haar gezicht kon aflezen, misschien drukte haar zwarte gezicht iets heel anders uit, en hield ik dat voor verbijstering.

Doe het toch maar, herhaalde ik, ik wil weten hoe je blootshoofds bent, volgens mij heb je mooie haren.

Een kroezelkop, zoals iedereen, beet ze terug, en het verbaasde me hoe vlekkeloos ze dat in het Frans zei.

Ze knoopte de doek los omdat ze een blanke in dat huis nu eenmaal moest gehoorzamen.

Ik zag ook hoe grappig haar oren stonden.

Ze kon niet rood worden van boosheid.

Bedankt, zei ik. Ik greep haar arm en voor ze zich kon losrukken, kuste ik haar op een mondhoek.

Zeg er niets over tegen mijn zus, vermaande ik, ze heeft al genoeg aan haar hoofd. Laat nu de pan eieren maar komen.

Ik at zonder verder nog acht op haar te slaan.

Toen mijn schoonbroer aan de ontbijttafel verscheen, was ik net klaar en vertrok meteen naar de moerassen. Ik wierp Leopoldine een vriendelijke knipoog toe en dit keer zag ik een kleine lach om haar mond.

Het duurde geen week voor ik haar in mijn bed kreeg. Ik gaf haar een horloge cadeau dat om de haverklap stilviel en dat ik daarom zelf niet kon gebruiken, maar het omhulsel en de polsband waren verzilverd, de wijzers en cijfers verguld, het schitterde als er licht op viel. Voor Leopoldine was het een sieraad, het precieze uur speelde geen rol. Ze droeg het rond haar bovenarm of rond haar enkel. Ik beloofde haar een fiets, en die had ik haar ook gegeven als zich geen andere opportuniteit had voorgedaan.

Ik genoot van haar zolang het duurde.

's Avonds als het huis stil was, kwam ze naar mijn slaaphok wanneer ik daar om vroeg. Ik wist niet of andere zwarten op de hoogte waren, niemand maakte er toespelingen op, in de keuken en het huishouden deed ze haar werk zoals altijd, om de twee of drie weken ging ze voor een weekend naar haar dorp dat een halve dagreis verderop lag.

Eenmaal bracht ik haar met de vrachtwagen, het was de laatste keer dat ik haar zag.

Ik liet haar vlak bij haar dorp uitstappen en reed verder naar Costermansville.

Ik wilde voor mezelf een scooter regelen.

Het was bijna avond toen ik in de stad aankwam.

Ik mengde mij tussen de blanken die er woonden en rondhingen, hield mijn oren gespitst en mijn ogen scherp, informeerde naar mogelijkheden. De nacht viel onbarmhartig snel.

Ik liet mijn oog vallen op een scooter die naast een hek stond in een van de villawijken. Ik betaalde een zwarte die me geen vragen stelde.

Zonder problemen tilden we de scooter over het hek en gooiden hem in de laadbak. De straat liep af, ik hoefde alleen de remmen los te laten om de vrachtwagen aan het rijden te brengen. Beneden bij de bocht startte ik de motor, ik liet de zwarte eruit aan de rand van de wijk en reed zonder omzien verder.

In het schijnsel van de koplampen zag ik de donkere schimmen van dieren of pygmeeën wegschieten, ik hoopte dat er genoeg brandstof in de tank zat om op de plantage te geraken. Maar ik vergiste me twee keer in de richting, ik maakte omwegen tot ik meende de heuvels in de buurt van de zagerij van de Griek te herkennen, toen sputterde de motor. Kort daarna viel hij stil.

Het was nog donker, maar de Melkweg werd al bleker, ik sloot mijn ogen.

Misschien dutte ik, ik hoorde het lachen van hyena's, het krijsen van een civetkat, het geroep van vogels, en toen ik mijn ogen opende, hing er licht in de lucht.

Een eind verder langs de kant van de weg stond een troepje zwarten te kijken. Ik klom uit de cabine en wenkte hen.

Ze aarzelden, schoorvoetend kwamen er twee naar me toe. Ze spraken gebrekkig Frans, dorpsnegers, ik probeerde hun duidelijk te maken wat ik nodig had, of ze me konden vertellen waar er blanken woonden in de buurt.

Ze lachten alleen maar, eerst dacht ik dat ze me begrepen, daarna twijfelde ik weer, ze bekeken me schaapachtig. Ik sommeerde de mannen me te helpen de scooter uit de laadbak te hijsen. Ik bond een lege jerrycan die in de cabine lag op de scooter, sloot de cabine af en bezwoer een van de zwarten op de vrachtwagen te letten, ik wist niet of hij mij begreep. Ik reed verder de weg af en hoopte dat de tank van de scooter wel genoeg brandstof bevatte.

Ik had geluk, na een half uur stuitte ik op een kleine missiepost.

De blanke pastoor was al op, hij brevierde in de grote tuin die daar was aangelegd en waarin ik kolen en sla en wortelen zag staan, en zelfs een vogelverschrikker, alsof het een Vlaamse tuin was. De pastoor brevierde in een dik boekwerk van Guido Gezelle.

Ook door deze gedichten spreekt God, legde hij uit, en bovendien in mijn eigen taal.

Ik knikte, ik ken de dichter, zei ik, maar eigenlijk ben

ik niet op zoek naar God, maar naar benzine. De pastoor lachte.

Ik apprecieer je eerlijkheid, het is de eerste trede op weg naar de hemel. In het berghok daar vind je een volle ton benzine, zei hij, eergisteren werd ze nog bijgevuld. Je ziet: als de nood hoog is, is de kerk nabij, de voorzienigheid waakt, ook in de brousse.

Ik kan de benzine niet betalen, zei ik.

Geeft niet, er zal u gegeven worden, grijnsde hij.

Ik vulde de jerrycan tot de rand, schroefde de dop er stevig op, bond hem weer achter op de scooter. De pastoor keek mij na toen ik het stoffige pad op reed, terug naar de brousse.

De vrachtwagen stond er, onaangeroerd in de hamerende zon. Opnieuw zag ik zwarten naar mij gluren, allemaal mannen, plots waren ze daar, opgewonden pratend, aan de rand van de weg. Ze hielpen me de scooter inladen. Ik stonk van het zweet. De zon sloeg haar mokers in mijn nek. Ik had honger. De zwarten leken niets eetbaars bij de hand te hebben, maar ik wist hoe snel ze wat dan ook waar dan ook vandaan konden toveren. Ik gebaarde naar hen, ze schenen me niet te begrijpen. Ik probeerde de woorden die ik van Leopoldine geleerd had, maar ik sprak ze verkeerd uit of de mannen spraken een andere taal. Ik liet het erbij, klom in de cabine, toen ze plots op me af kwamen.

Ik begreep op mijn beurt niets van hun gebabbel, maar uit hun gebaren maakte ik op dat ze een lift wilden. Ze kropen in de laadbak bij de scooter, twee kwamen bij mij in de cabine. Ik vertrok. Ze haalden bananen, cassave en vlees tevoorschijn en begonnen te eten. Misschien hadden ze me toch begrepen, ze boden me enkele stukken aan, ik hapte gretig toe.

We praatten met elkaar, de hele weg, over de brousse, over de vrouwen, over de paters, over de blanken, over de afstanden die ze dikwijls moesten afleggen zonder fiets of auto, over pygmeeën die plots opdoken en weer verdwenen, over België, de blanke landen, enzovoort, althans dat dacht ik, ik wist niet of we elkaar begrepen, of we over dezelfde onderwerpen spraken, het was in ieder geval gezellig in de cabine.

Bij het beklimmen van de laatste heuvel vertraagde de vrachtwagen tot hij bijna kroop. Door het achterraam zag ik uit een ooghoek de animositeit en het plezier onder de mannen in de laadbak, sommige stonden, andere lagen, nog andere hingen half over de rand, zwaaiden opgewonden met hun armen.

Halverwege de afdaling aan de andere kant van de heuvel vroegen ze mij te stoppen. Ik zag geen dorp of hutten in de buurt, ik was bijna op de plantage, maar de mannen waren blijkbaar op hun bestemming.

Ze stapten uit en toen zag ik dat ook enkele vrouwen uit de laadbak sprongen.

Hoe waren ze daar in gekomen? Het kon alleen gebeurd zijn toen we traag de helling op reden. Maar het leek alsof ze al veel langer aan boord waren, ze vouwden rustig matten op die ze op de bodem van de laadbak hadden gelegd, ze laadden manden met kippen uit, en hoe ik het ook vroeg, ik begreep hen te weinig om zeker te zijn van hun antwoord, behalve een spottend grijnzen dat geen verklaring hoefde.

Mijn schoonbroer was woedend toen ik op de plantage aankwam. Hij had de vrachtwagen nodig gehad, ik had niemand gewaarschuwd, ik was al net zo onbetrouwbaar als de meeste negers.

Ik maakte weinig woorden vuil aan een antwoord. Ik

raapte mijn spullen bij elkaar, stopte ze in mijn koffer die ik sinds mijn aankomst op de plantage niet meer had aangeroerd, bond hem op de scooter, zei tegen mijn zus dat ze zich om mij niet langer hoefde te bekommeren, dat ik nog wel van me zou laten horen, wenste haar niettemin succes met de bevalling, en vertrok.

De plantage lag al twee heuvels achter me voordat ik me realiseerde dat ik geen afscheid van Leopoldine had genomen, ze was geen ogenblik in mijn gedachten geweest. Ik hunkerde naar iets nieuws en voor mij hoorde ze bij de plantage en bij wat ik achter wilde laten.

Ik reed met het weinige zakgeld dat ik nog overhad en een brood en wat gerookt vlees, dat ik had meegegraaid uit de keuken waar ik Leopoldine niet had gezien, op goed geluk door de brousse in de richting van Elisabethville in de mijnprovincie Katanga.

IK STRANDDE VEEL eerder, op een andere plantage.

De brandstof van de scooter was op, mijn brood en het vlees ook, ik was uitgeput.

De capita generale bracht me bij zijn baas, een Pool.

Ik zei dat ik geld nodig had om naar Elisabethville te gaan, dat ik voor een goed loon om het even welk werk aanvaardde. Ik denk dat hij mij naar waarde probeerde te schatten en er niet in slaagde.

Hij nam me in dienst om te kijken hoe hij er wel achter kon komen.

Ik werd opzichter, een blanke capita, en moest ook het materiaal onderhouden, de auto's, de vrachtwagens, de pompen. Ik kreeg een onderkomen aan de rand van de ge-cultiveerde terreinen, een naastgelegen pad leidde naar een klein gehucht verderop, een negorij van dertien hutten.

's Avonds wandelde ik vaak tot daar. Een paar van de werkers woonden er. Ze waren gastvrij en nieuwsgierig.

Ik liet mij verhalen vertellen over andere plaatsen in de kolonie, de Kasai, Leopoldville, Goma, Albertville, Stanley-stad, de Kivu, Kamina. Op de plantage zelf verbleven bijna tweehonderd werkers in een kampement. Ik leerde snel hun talen, de meesten spraken Swahili, maar bijna iedere stam had ook zijn eigen taal, die de blanken niet in de mond namen.

Na drie weken verzekerde ik mij van de diensten van een meisje dat amper dertien of veertien moet zijn geweest, het nichtje van een van de werkers, ze kwam uit een dorp achter de heuvels, op een avond zat ze tegen mijn deur geleund, ik liet haar naar binnen en de rest ging vanzelf.

Wanneer ik werkte hing ze rond in het kamp of bij de dertien hutten van de negorij, misschien sliep ze daar ook met andere mannen.

Ze kookte voor mij, en verbouwde groenten op een lap grond achter het huis. Ik overhandigde haar wat geld en geschenken, misschien schonk ze daarvan een deel aan haar oom, als het inderdaad haar oom was, om de twee weken ging ze voor een paar dagen terug naar haar dorp, dat betekende een dagmars, dus na een maand gaf ik haar een oude fiets die ik in een van de werkplaatsen had gevonden en zelf weer had opgelapt, ik moest tenslotte voor het machinepark zorgen. Ik gaf haar een beetje zout mee, of zeep of wat ingeblikt vlees, dingen die ik kon missen, die ik wegnam uit de voorraadkast van het plantershuis.

Ik had me snel als een solide, harde werker laten gelden. De Pool wist me nog altijd niet precies in te schatten, ik was zowel slordig als secuur, nonchalant als nauwgezet, hij had alleen nooit door wanneer ik het een of het ander zou zijn. Ik kon te laat opdagen voor een karwei, wat hem wrevelig maakte, maar ik kon het karwei stipt en zorgzaam uitvoeren, of ik kon een machine perfect afstellen en die daarna aan haar lot en aan de zwarten die haar bedienden overlaten waardoor ze binnen de kortste keren vastliep of onklaar raakte.

Ik wist het, ik liet me zomaar leiden op goed geluk. Voor de zwarten was ik 's avonds een vriend, overdag een ongenadige opzichter. De zweep gebruikte ik niet, dat vond ik beneden mijn waardigheid, liever daagde ik hen uit met de blote vuist in het kampement, en ik hield een deel van hun loon in, stak het in mijn eigen zak, het werk dat ze niet deden, of maar half, knapte ik desnoods zelf op.

Ik ging ervan uit dat de Pool tevreden over me was.

Iedere week gaf ik een deel van mijn loon in bewaring aan zijn vrouw, zodat ik wist dat ik een som bijeen kon sparen.

Natuurlijk verliet ik de Pool, nog voor hij me had kunnen doorgronden, ik deed maar wat. Ik haalde mijn spaarpot op bij zijn vrouw. 's Ochtends neukte ik het nichtje, ik liet een spiegel voor haar achter, startte de scooter, verdween.

Nog één keer werkte ik voor een planter, een Oostendenaar, die voortdurend vertelde over de zee, de horizon, de wijde hemel, vissen, de zoute wind. Ook bij hem mocht ik het machinepark onderhouden, en daarnaast de gewassen controleren, de moestuin in het oog houden en twee keer per week met de vrachtwagen thee gaan leveren aan een fabriekje dat bij een rivier lag. Onderweg daarnaartoe passeerde ik telkens een vliegveld.

Op een zondag reed ik erheen met de scooter. Ik keek hoe de toestellen opstegen en boven het plateau cirkelden. Blanken kwamen daar vliegen voor de sport, slechts een paar keer per week vloog er een vliegtuig werkelijk naar een bestemming met poststukken of een kleine vracht.

Ik maakte kennis met de piloten, het duurde niet lang of ik mocht mee in een tweezitter. We verlieten het plateau, zetten koers naar de rivier, ik zag de theefabriek van bovenaf, de verspreide loodsen met de golfplaten daken, de vrachtwagens die werden gelost, de mannen die er heen en weer liepen met bundels en zakken op de schouders, we volgden de loop van de rivier, het groenblauwe water, de prauwen van de vissers, een kleine vrachtboot, we zagen de wegen, de paadjes waarop mensen liepen, hier en daar enkele hutten tussen het groen, antilopen die wegsprongen, vee, vogels die onder ons door scheerden, tot we landden. De vlucht had nauwelijks twintig minuten geduurd.

De zondag daarop vloog ik opnieuw mee.

Het was geweldig.

Een van de piloten wilde het me leren.

Ik kocht een tweedehands jeep van een van de blanken die kwam vliegen. Op zaterdagavond vertrok ik onmiddellijk na mijn werk, sliep in een veldbed in een loods op het vliegveld. En maandagochtend stond ik weer op de plantage van de Oostendenaar.

Op een middag, het was heet, helder weer, blauwe lucht, de vogels te moe om te vliegen, ik kon het licht horen knetteren, kreeg ik de stuurknuppel van de tweezitter. Alles ging perfect, ik liet de motor warmlopen, taxiede naar de stoffige startbaan, ik had die zelf met een paar zwarten min of meer geëgaliseerd, de ergste kuilen gedicht, nam genoeg snelheid, liet hem ruim op tijd de hoogte in gaan, wrikte aan het staartroer, scheerde over de bomen, verminderde de snelheid, liet de flaps uit, allemaal zoals het moest. Ik zette koers naar de plantage waar ik werkte, waar de bezigheden ogenschijnlijk hun gewone gang gingen, vloog daarna naar de rivier, alles op een redelijke hoogte, daarna zwenkte ik weer naar het vliegveld, en landde, probleemloos. Ik was een piloot.

De Oostendenaar begreep niet wat ik zag in dat doorklieven van de lucht. Hij wou liever varen, er ging niets boven de Noordzee. Uit heimwee maakte hij af en toe een uitstap op het Tanganyikameer, hij moest de deining voelen onder zijn voeten, de bries die van het land waait.

Een paar keer vergezelde ik hem. Dan bleef zijn vrouw achter op de plantage. Bijna een volle dag zaten we in de auto. Dezelfde avond nog voeren we met een paar zwarten als bemanning het meer op.

De oevers, de heuvels in de verte, het licht van de dalende zon glimmend op het water, de vissers die terugkeerden van de vangst, het gekrijs uit de bossen, hier en daar een rookpluim waar een dorp lag. We sliepen in een lodge niet ver van de oever. 's Morgens na het ontbijt dat de boys hadden klaargemaakt, voeren we opnieuw het meer op.

Ik hield de schipper in het oog, de manoeuvres die hij maakte, hoe hij het roer en de schroef bediende. Dit was anders dan vliegen, het ging trager, veel trager, maar als je naar het water vlakbij keek, ging het toch ook snel, alleen aan de oevers leek geen eind te komen, krommingen, zandstranden, kleine baaien, rotsen, overhangend groen, een paar nederzettingen, prauwen die op het droge waren getrokken, op het water wemelde het van de vissers.

We aten aan boord, de boys maakten vis klaar, er was bier en brood. Het schommelen op het water nodigde uit tot rust, tot dromen en gepeins, de onpeilbaarheid van de wolkeloze hemel, de vogels die traag over het meer wiekten, het grillige patroon van hun vlucht, alsof ze iets najoegen dat hun iedere keer ontsnapte, maar soms trokken ze in een rechte lijn naar de overkant.

Toen we op een zondagavond na een boottrip op de plantage arriveerden, was de plantersvrouw overstuur.

Het personeel was onwillig geweest. Niet de boys, maar de werkers op de plantage, zelfs een capita, ze hadden hun werk niet willen verrichten zoals het hoorde, ze zeiden dat ze het beter wisten, hadden staan discussiëren en palaveren bij de schuur, hadden haar een slavendrijver genoemd, in perfect Frans, dat was nog nooit gebeurd, verder hadden ze geen Swahili gesproken, maar een van hun brabbeltalen, zodat ze niets kon verstaan van wat ze zeiden, haar man moest hen ter verantwoording roepen, schreeuwde ze, of hen ontslaan.

Misschien hadden ze gedronken en zich laten gaan, zei de Oostendenaar, hij zou ze de volgende ochtend aan de tand voelen. Hij liet alvast de zweep klaarleggen.

Ik had geen zin om het aan te zien.

Ik ging niet naar bed, laadde mijn spullen in de jeep, reed er op een plank ook nog de scooter in en vertrok naar het vliegveld. Daar bracht ik de nacht door in de loods, de bewaker kende me.

De dag erna zocht ik de wijde omtrek af, ik had vanuit de lucht gezien dat er in het westen, tegen het woud aan, een zagerij lag, een eind van de rivier vandaan, maar niet ver van een dorp. Vroeg in de namiddag had ik het bedrijf gevonden.

Het kostte weinig moeite de beheerder te overtuigen mij aan te nemen.

Ik mocht meteen beginnen, kreeg onderdak in het kampement naast de zagerij. De zondagen bracht ik door op het vliegveld.

De zaagmachines dreunden en snerpten. Ik hielp zowel aan de machines als met de administratie, de vrachtdocumenten aanmaken of nakijken, leveringsbonnen controleren. Na twee weken hielp ik met de personeelsadministratie en de uitbetaling van de zwarten. De eigenaar van de zagerij was een Brit en hij wilde alles volgens het boekje. Ik liet hem in de waan dat het ook zo gebeurde. Op een of andere manier wekte ik vertrouwen. Ik leek noch bij de zwarten noch bij de blanken een voordeel te zoeken.

Ik voelde de onrust onder de zwarten ontstaan.

Dipenda, schreeuwden ze als ze dronken waren, schor. Onafhankelijkheid.

Op een middag kwam ik te laat om in te grijpen, al weet ik niet of ik het ook echt had gedaan wanneer ik de kans had gekregen. Twee zwarten kregen ruzie bij de zaagmachines. Anderen kwamen eromheen staan, ik hoorde het geroep en geschreeuw, ging eropaf, aarzelde een ogenblik wie ik het eerst zou vastgrijpen, toen de kleinste van de twee, maar ook de meest potige, met een plotse, heftige ruk de arm van de andere onder de draaiende zaag duwde. De volgende seconde trof mijn vuist de slaap van de potige, hij tuimelde op de grond, de andere schreeuwde als een rund. Op de vloer tussen het zaagsel lag een bloederig stuk hand met vier vingers. De duim ontbrak, de middelvinger stond vreemd omhoog gericht.

Ik sprong naar de zaagmachine, legde haar stil, schreeuwde dat ze verdomme alle machines stil moesten leggen en uit mijn buurt blijven.

Er ontstonden groepjes onder de zwarten, ik voelde het, het hing in de lucht en stonk naar zweet en drek. Er waren supporters voor de verminkte, supporters voor de potige, en mannen die geen van beiden konden luchten. Ik raapte het stuk hand op en slingerde het de potige in het gezicht terwijl hij overeind krabbelde, bloed droop van zijn voorhoofd.

De Brit kwam kijken, ik vertelde hem wat ik had gezien. Daarop joeg hij iedereen naar huis, voor vandaag zat het werk erop, niemand kreeg uitbetaald. De verminkte kreeg wat vodden toegegooid om het bloeden te stelpen.

De rest van de dag was het rustig, geen dreunen en snerpen. De milde geur van zaagsel en verse houtsnippers, een onverwachte vrije dag.

Ik slenterde wat rond, stak een sigaret op, naast de poort van de zaaghal lag het stuk hand in het stof, iemand had het daar neergesmeten, er zaten vliegen op, kwalijk zoemend zodra ik ernaar schopte. Ik haalde een spade uit een loods, nam het stuk hand vast bij de pink, droeg het naar de rand van het woud en stopte het in de grond.

Toen ik terugkeerde naar de loods kwam een van de werkers op me af.

Hij zei dat ik de verkeerde kant had gekozen, dat ik de handenzager nooit had mogen slaan, dat juist hij de blanken had verdedigd, dat de verminkte de blanken haatte.

Je duwt niemand onder een draaiende cirkelzaag, zei ik kortaf.

Het was alleen maar zijn arm, antwoordde hij.

Ik haalde mijn schouders op.

Verder wil ik mij er niet mee bemoeien, zei ik. Ga je mee? Ik heb zin om te jagen.

Hij knikte, ik liet hem in de jeep. Achterin lag een jacht-geweer, een stevig kaliber. Ik reed het woud in.

Weet jij de weg? Hij knikte.

Een goede plek? Hij knikte opnieuw.

Na een half uur werd de begroeiing schaarser, wat verder lag een poel. We hielden halt.

In de bomen bij de poel speelde een troep apen.

We lieten de jeep achter, ik droeg het jachtgeweer. De zwarte liep in een boog rond de moerassen. Ik richtte zon-der vizier, met een scherp oog. Ik had de neger kunnen neer-leggen, niemand zou mij aan de tand hebben gevoeld, een jachtongeval, daar kwam ik zo mee weg. Natuurlijk over-woog ik het niet echt, ik zocht in de troep naar een aap die mij de moeite waard leek.

Plots stiet de zwarte een kreet uit, ik keek op, hij wees naar de rand van de moerassen. Een antilope sprong weg uit het water, probeerde te ontkomen in het bos.

Ik richtte op het beest, drukte af, het schot miste doel.

Ik liet hem ontsnappen, richtte me snel weer naar de apen, die gealarmeerd alle richtingen uit slingerden. Ik richtte op goed geluk op de eerste die ik afgezonderd in het oog kreeg, aarzelde niet, schoot.

Hij stuikte uit de boom, de andere waren ervandoor.

De zwarte ging, als een jachthond, de aap ophalen en sleepte hem naar de jeep. Ik keek of er nog iets te schieten viel, vond niets.

De zwarte kwam naast mij zitten, ook hij speurde de moerassen en het bos af.

Na een half uur dook weer een antilope op.

Dit keer wilde ik niet missen. Ik schouderde het geweer, mikte zorgvuldig, met de loop van het wapen volgde ik uiterst precies de schichtige bewegingen van het dier, tot het eindelijk ging drinken, maar nu bevond het zich tot aan de knieën in de moerassige poel.

Ik voelde dat ik het in mijn vingers had, de opeenvolging van twee schoten, zonder nadenken, het moest snel gaan, ook al sprong het beest de verkeerde kant uit, waar enkele laaghangende takken het zicht belemmerden.

Ik gromde naar de zwarte dat hij zijn adem moest inhouden. Onmiddellijk daarop schoot ik een kogel voor de voeten van het dier, het water spatte op, de knal rolde over het moeras, met een sprong wierp de antilope zich schuin weg uit de poel naar het bos. Het beest kwam een ogenblik zijdelings voor de loop, ik drukte meteen een tweede keer af, de kogel ging achter zijn schoft in zijn flank, vanuit een schuine hoek zodat hij in de buurt van het hart kon komen. De antilope dook voorover neer, op het droge, zoals ik het had gewild, maar hij kroop nog, klauwde met zijn achterste poten. Ik ging staan, maakte snel opnieuw het geweer klaar, ik kon het beest goed zien nu, richtte op de wanhopig trekkende kop, drukte af, trof hem achter zijn oor. De dood kon hooguit tien seconden zijn uitgesteld.

De zwarte hakte een rechte tak van een boom. Met een paar lianen bond hij de poten van het dier bij elkaar. We staken de tak tussen de poten en tilden het beest op, droegen het, de paal over onze schouders, tussen ons in naar de jeep.

Weet jij waar we dit kunnen laten klaarmaken? Hij knikte. Vooruit dan.

We reden naar een dorp dat ik niet kende, het lag verscholen achter bananenvelden. De zwarte liet me stoppen aan een plein voor een paar hutten. Hij sprong uit de jeep, onmiddellijk kwam er een groepje mannen en vrouwen tevoorschijn. Twee dorpelingen grepen de antilope, hingen hem op aan een staketsel, haalden een mes en begonnen het beest te villen.

Straks wordt er gegeten, je kunt gerust hier wachten, er is bier, er is muziek, zei mijn metgezel.

Er daagden nog meer mannen en vrouwen op. Het nieuws van het vlees ging snel van mond tot mond. Iemand begon op een plank de aap te villen. Vrouwen legden een vuur aan.

We bleven niet toekijken, mijn metgezel nam me mee tussen de hutten. Steeds meer mensen doken op, vrouwen, kinderen, mannen. We gingen bij een hut zitten, iemand bracht bier. Ik stak een sigaret op, deelde er een paar uit. We praatten en grapten, ik had zin in een vrouw, ik nam genoegen met het bier en de grappen.

We waren al lichtjes beschonken toen we de braadgeur roken. De avond hing in de lucht. Van sommige vrouwen zag ik alleen nog de ogen schitteren. Een nam mijn hand, trok me overeind, we werden terug naar het plein geleid. Ik ging op een boomstam zitten.

Mannen met speren en schilden en getooid met luipaardvellen en maskers, de armen, de borst en het gezicht geverfd, sprongen heen en weer. In de cirkel laaide een vuur hoog op.

Ik voelde de adem van een vrouw in mijn nek. Er werd mij een kom toegestopt, er dreven brokken vlees en groenten in een dunne saus.

Is het de aap of de antilope?

Ze lachten. De aap natuurlijk.

Maar het was de antilope. Ik at, keek naar de dansers, dronk van het bier, stak opnieuw een sigaret op. Een van de dansers had een witte hand, hij liet haar boven het vuur zwaaien, in de andere hand klemde hij een speer waaraan een luipaardstaart hing. Hij droeg geen masker, zijn gezicht was naargeestig beschilderd.

De man die mij hierheen had gebracht, was nergens meer te bekennen. Op eigen houtje kwam ik hier niet meer vandaan, de avond was nu definitief gevallen. De oranje gloed van het vuur deed hier en daar het wit van de ogen en de bleke kleuren van het schilderwerk op de snuiten en maskers van de dansers oplichten. Ze werden steeds doller, sommigen rookten korte in elkaar gedraaide peukjes, anderen dronken uit houten kroezen die ze daarna woest weggooiden. Enkele dansers roffelden op de tamtams die ze tussen hun benen meezeulden, aan hun enkels hingen belletjes. In mijn nek hing nog altijd de adem van een vrouw.

De man met de witte hand zwaaide vervaarlijk met zijn speer in mijn richting, ik gaf geen krimp, misschien wilde hij mijn koelbloedigheid testen. Misschien was ik gewoon te beschonken om alert te reageren, ik was vooral beducht voor de adem in mijn nek. Het is in zulke omstandigheden moeilijk te achterhalen of de wind uit het paradijs waait of uit de hel. Het vuur wierp zijn hitte in golven langs de kring waarin wij zaten.

Ik werd getooid als een jager, kreeg de aaneengeregen tanden van de aap om mijn hals gehangen. Ondertussen ging het dansen verder, al viel hier en daar een danser moegestreden in het stof. In de kring zaten vooral vrouwen, kinderen en oudere mannen. De dansers waren wellicht krijgers, jagers, tovenaars misschien. Een vijftiental, schatte ik.

Uit de brousse klonk het krijsen van civetkatten en vogels, het nerveuze lachen van hyena's. Soms hoorde ik gesnuffel vlakbij, het knetteren van de vuren, het sissen van het vlees, de braadgeur, het schroeien van kruiden, het hijgende ademen, het wolkte om mijn hoofd.

Ik probeerde bedachtzaam te drinken.

De man met de witte hand sprong plots op mij af, zijn gezicht vertrokken in een afgrijselijke grijns, maar de kleurige, geschilderde strepen en vlekken over zijn neus en wangen gaven hem iets carnavalachtigs, en ik grijnsde alleen maar aapachtig terug. Hij brulde.

Plots begreep ik wie hij was.

De witte hand aan zijn arm was een windel waaruit alleen een duim stak.

Hij stootte zijn speer voor mijn voeten in de grond en liep weg.

Ik wilde opspringen, maar mijn maag draaide, of het was mijn hoofd en op mijn schouders lag een arm, de tamtams roffelden, het gekrijs uit de brousse nam toe en tussen al het lawaai door hoorde ik het toeteren van een boot op het kanaal waar ik met mijn broer ging zwemmen. We zwommen onder de boten door, dat was verboden, een buurjongen had een klap van de schroef gekregen toen hij werd gehinderd door het wier dat aan de romp van de schuit klitte en niet tijdig weg geraakte, hij had een vreselijke, diepe snee in zijn dij, het vlees hing los, we trokken hem op het droge en hij bloedde als een beest, hij heeft nooit meer goed kunnen stappen.

De man met de witte hand verdween achter het vuur waarvan vooral de rook hoog oplaaide, iemand smeet er weer takken op, de hitte deed me in zweten uitbarsten, mijn hoofd gloeide, de handen zakten van mijn schouders over mijn borst, haakten achter de apentanden, maar het snoer brak niet, ik keek naar de toppen van het vuur, dit was gastvrijheid.

De volgende ochtend werd ik wakker met een bonzend hoofd, op een dierenvel in een hut. Naast mij stond een kalebas, er zat water in. Ik goot het over mijn gezicht en mijn borst. De apentanden hingen er nog.

Nu liggen ze in een sigarenkistje bij een paar andere souvenirs in een kast op de oude slaapkamer.

Ik heb er al jaren niet meer naar omgekeken, met Simone heb ik er nooit echt over gepraat, alleen Erna heeft ze gezien, ze schrok, een ogenblik dacht ze dat het mensentanden waren, maar ik stelde haar gerust, van een aap, zei ik, die ik geschoten heb, en verder heb ik er geen woord aan gewijd.

Plots hoort hij, of meent hij te horen, een klop op de deur. Had ze gezegd dat ze vandaag zou komen? Is hij het vergeten, of vergist hij zich?

Hij wacht tot ze een tweede keer klopt. Dan zal hij naar de deur stappen, in geen geval sloffen, hij wil zich graag energiek tonen.

Kom binnen, zal hij zeggen met krachtige stem. Ik heb nog alles in handen, denkt hij.

Ik was hier toevallig in de buurt, zegt het meisje van de sociale dienst, en ze ontplooit een vriendelijke glimlach. Dat doet ze altijd bij het begin van een bezoek.

Haar tas hangt met een riem over haar rechterschouder, weegt een beetje door en trekt haar blouse een ietsje opzij, zodat een stukje van haar boezem bloot komt.

Ze draagt een paarse beha.

Erna had die kleur ook kunnen dragen.

Het windt hem niet op, maar het is fijn om naar te kijken. Een stukje jong vlees. Zolang het hem nog gegund is.

Je hebt een knoopje los, zegt hij.

Speciaal voor jou, zegt ze, ben je bang dat ik kouvat?

Nee, zegt hij, ik zou kou kunnen vatten op mijn ogen, omdat ik ze te ver opensper. En hij lacht.

Maar hij wacht tevergeefs, er komt geen tweede klop.

HIJ STAAT OP uit de fauteuil, schuifelt naar het raam, voet voor voet, want zijn linkerbeen slaapt.

Aan de overkant van de straat loopt een dame met een hond aan de lijn, een maltezer. Hij kent haar, ze woont verderop in de straat, ze is al veertien jaar weduwe.

Een keer kwam hij in haar huis, ze dronken samen een kop koffie, ook zij stak een sigaret op, hij had gedacht dat ze er wel oren naar zou hebben, een man alleen en een vrouw alleen, in elkaars buurt, er liggen slechts negen huizen tussen, ze knapt zich nog elke dag een beetje op, ze had parfum opgedaan, rook hij, maar hij rook ook de maltezer. Ze heeft drie kinderen, van wie een dochter regelmatig langskomt, en die zou het vast niet fijn vinden dat haar moeder weer een relatie aanknoopte met een man, al is die niet ten volle voor de liefde bedoeld, dat laatste uit respect voor haar man zaliger, die onvervangbaar was, dat wilde hij graag geloven, en dan nog iemand als hij, begreep hij, enfin. Het kwam erop neer dat de eenzaamheid in bed voor haar niet onoverkomelijk was.

Hij wilde er niet verder op aansturen. Sindsdien knikken ze elkaar beleefd toe wanneer ze elkaar tegenkomen, meer niet. Nu kijkt hij haar zonder spijt na.

Verder valt er niets te zien in de straat, hij keert zich opnieuw naar de kamer, de fauteuil, de tafel, de kast, de

kapstok, de dingen die er net zo toe doen als ze er niet toe
doen.

Hij zou naar boven kunnen gaan en tellen hoeveel apentanden er aan dat snoer zitten.

Hij heeft de tanden vaak geteld, maar geen enkele keer
het aantal onthouden, dertien of zeventien, in elk geval een
oneven getal, aan een streng van olifantenhaar, sterk en on-
verwoestbaar.

In Elisabethville vloog een halfbloed hem naar de hals,
rukte aan het snoer, maar de tanden beten hem in de hand
en hij liet los, en ondanks de felle ruk was het niet gebroken. De halfbloed keek hem met bloeddoorlopen ogen aan,
van jouw soort, van jouw soort, stamelde hij, want spreken,
laat staan schreeuwen, kon je dat niet noemen.

Wat wil je? vroeg ik en mijn stem klonk bars, blaffend
bijna, hoewel ik dat niet zo bedoelde, ik was verrast door
zijn aanval en zijn blik.

Jouw soort, herhaalde hij en hij wees naar mijn buik, misschien omdat hij niet dieper naar beneden durfde wijzen,
want plots wist ik wat hij mij wilde zeggen, in het gezicht
wilde slingeren, de lul waar hij zelf uit was voortgekomen.
Ik haalde mijn schouders op, hij moest zelf kiezen bij welk
ras hij wilde horen.

Ik trok het snoer recht, streek over de tanden en draaide
me van hem weg. Ik heb hem niet meer teruggezien.

Ik kroop uit de hut. Het dorp leek verlaten, alleen een
paar kinderen speelden in het stof, ik hoorde een regelmatig kloppen van hout op hout aan de rand van het bos, een
bontgekleurde vogel zat op de hoogste tak van een boom,
af en toe wroette hij met zijn snavel onder zijn vleugels.
De huiden van de aap en de antilope hingen te drogen. Ze

waren schoongeschraapt. Van de antilope hingen de horens er nog aan, van de aap was de snuit er nog een beetje, zonder de tanden. Ik zag de jeep op het plein staan, er klommen kinderen op en af, ik tastte in mijn broekzak, de contactsleutel zat er nog in. Mijn hemd hing los over mijn schouders, ik knoopte het dicht terwijl ik naar de jeep liep. Onder een luifel van bananenbladeren zaten een paar oudere mannen, met korte messen kerfden ze dieren uit houtblokken.

Ik wilde terug naar de zagerij, mijn horloge stond stil aan mijn pols, maar het moest de hoogste tijd zijn. Het dorp was helemaal niet verlaten als je goed keek, de dorpelingen hielden zich alleen maar schuil voor de zon.

Niemand sprak me aan, ze waren allemaal verdiept in hun bezigheden. Ik inspecteerde de jeep, het jachtgeweer lag nog altijd verborgen waar ik het had verstopt. Niets leek aangeroerd. Ik klom achter het stuur, zat daar een ogenblik te suffen, een groepje kinderen stond in een cirkel te zwijgen en me aan te gapen. Ik vroeg me af of ik zou starten en zomaar wegrijden. Mijn metgezel was nergens te bespeuren.

Ik liet de claxon gaan, kort, luid, de kinderen schrokken, stoven een paar passen achteruit. Hier en daar werd een hoofd uit een hut gestoken, dorpelingen kwamen achter de hutten vandaan om naar de jeep te kijken, maar niemand kwam op me af.

Waar is de chef? vroeg ik aan de kinderen. Ze begrepen me niet.

Ik maakte er een gebaar bij, de chef? Niemand kon of wou me helpen. Ik startte de motor, draaide op het plein en reed traag naar de weg door het bananenbos. Tussen de bananenbomen waren vrouwen aan het werk. Ze keken op, staarden me na, maar niemand groette of gaf me een teken om te stoppen.

Op de zagerij leek alles weer zijn gewone gang te gaan. Het was al bijna middag toen ik arriveerde. Niets herinnerde nog aan het incident. De Brit nam me vluchtig op, je weet wat je moet doen, zei hij, en ik ging aan de slag. De werkers bewaarden een afstand, ik zag dat de apentanden rond mijn hals indruk maakten.

Er bereikte mij een boodschap van mijn zus, ze was bevallen van een dochter, gezond en wel, Leopoldine was zwanger, ze hadden haar naar haar dorp laten terugkeren, nu werkte haar jongere zus als hulp in het huishouden. Ik stuurde een kort bericht terug, dat alles in orde was, dat ik misschien nog een keer langskwam, maar eigenlijk had ik genoeg van de brousse.

Een week later reed ik Elisabethville binnen.

Voor het eerst zag ik weer honderden blanken bij elkaar, er woonden er veertienduizend in Elisabethville.

De brede lanen, met plantsoenen in het midden vol felle rode en gele bloemen, de villa's met voortuinen, bomen, struiken, hagen, appartementsblokken met vier of vijf verdiepingen, hotels, hier en daar een standbeeld van een koningin of een ontdekker op een plein, de cafés, de missiehuizen, een sportstadion, het gerechtsgebouw, de kathedraal, het geheel bood een aanblik die mij verwarde, ik was al vele maanden niet meer in een stad geweest.

Ik had genoeg geld op zak om me een paar weken in een pension op te houden.

Twee straten verder heerste dag en nacht lawaai, de stad bruiste van bedrijvigheid en rumoer want naast de blanken woonden er bijna tweehonderdduizend zwarten in Elisabethville.

Vlakbij was een bordeel waar ook halfbloeden werkten. Daar kreeg ik van de uitbater het adres van een garagehouder die helemaal aan de andere kant van de stad in een nieuwe wijk woonde. De garagehouder nam me onmiddellijk in dienst. Ik verkocht de jeep, behield alleen de scooter, en huurde een appartement midden in een blanke wijk waar het rustig was, brede straten, schaduw, banken en op regelmatige afstand een verlichtingspaal.

Overdag sleutelde ik aan auto's van alle merken, meestal pick-ups en lichte vrachtwagens, en 's avonds schuimde ik de zwarte wijken af waar drank en plezier was.

Ik kwam maandenlang niet meer in de brousse. Eén keer reed ik met een pick-up uit de garage naar de mijnterreinen van de Union Minière. De zwarten die er werkten kwamen van overal, de Kasai, Ruanda-Urundi, de Kivu, Ituri, Rhodesië zelfs. Ze gaven hun stamgewoonten op, vergaten de brousse, de mannen leefden als kevers in spleten in de grond, tussen de dampen en het stof. Alleen hun witte tanden fonkelden, het wit van hun ogen was mat en bloeddoorlopen. De vrouwen en kinderen hingen rond in de straten of op pleinen waar ze palaverden onder een paar magere bomen. Ze keken niet op van de apentanden rond mijn nek, beschouwden het wellicht als aanstellerij.

Er werd lelijk poen verdiend met de ertsen, ingenieurs, geldschieters, handelsagenten, beheerders, woonden veelal in villawijken buiten de stad, waar de brousse tot een tuin was gemaakt, er was ruimte, lucht, er waren zwembaden, sportvelden.

Een van de klanten van de garage woonde er, een Brusselaar, de man hiel van autorijden met hoge snelheid. Hij zocht een mecanicien die ook van snelheid hield, die accuraat was en niet bang uitgevallen.

Ik kan de snelheid van een vliegtuig aan, zei ik.

Hij knikte goedkeurend, maar vanuit de hoogte. Hij nam me mee in zijn Pontiac naar een raceparcours tussen de bossen, op een half uur rijden van de stad.

Een onpartijdige hemel strekte zich uit boven de provincie Katanga, hield de rookpluimen van de mijnfabriek, de lucht met de vogels en insecten, het lawaai van joelende kinderen, van schreeuwende beesten, van het verkeer in

Elisabethville, het gebulder van de Pontiac allemaal in eenzelfde onverschillige vriendelijkheid in haar schelp. De zon scheen ongenadig fel.

De Pontiac had hier en daar een schram of een deuk, was op verschillende plekken bijgeverfd en een van de achterlichten was gebroken. Het parcours was grillig, met scherpe bochten, pistes die afhelden, zodat de wagen bijna kantelde, de Brusselaar moest heel erg tegensturen. Hij reed snel, een rondje duurde nauwelijks vijf minuten. Er hing een geur van verbrande olie, geschroeid rubber, benzinedampen en kapotgereden bessen.

Na vier ronden hield hij halt. Ik moest het oliepeil bijstellen, de bandenspanning controleren, de bougies opnieuw afstellen, de versnellingsbak nakijken, alles waar hij aan dacht dat verbeterd kon worden om de snelheid en de gehoorzaamheid van de wagen te verhogen. Na tien minuten zat ik onder het vuil en het smeer, het zweet liep over mijn hals en mijn rug.

Hij vroeg me of ik het zelf wilde proberen, een rit over het parcours, zodat hij van een afstand kon zien waar verbeteringen mogelijk waren, hij haalde een stopwatch uit zijn overall, gaf me zijn racehelm en zijn bril.

Ik gaf gas, de Pontiac schoot vooruit, ik hoorde hem loeien, ik scheurde door de eerste bocht, bijna ramde ik een boom, de tweede bocht nam ik behoedzamer. Ik zag de Brusselaar driftig zwaaien met de stopwatch, hij schreeuwde dat ik sneller moest. Ik gaf opnieuw gas, ploegde de Pontiac door het spoor dat was getrokken, rukte aan het stuur, roerde de versnellingspook, liet de wagen opspringen en hield halt voor zijn voeten.

De man schudde het hoofd. Veel te traag, zei hij, te sloom, op deze manier krijg ik er geen idee van, kun je niet sneller, vinniger?

Ik raakte nu al bijna van het spoor, zei ik, wat als ik hem vastrijd of kapot?

Hij schudde opnieuw het hoofd, dat gebeurt niet, je moet je concentreren en als het wel gebeurt, dan is het mijn verantwoordelijkheid, vooruit.

Dus gaf ik opnieuw gas, de Pontiac brulde, de zon scheen recht tussen mijn ogen, ik zag ternauwernood de eerste bocht, raadde hoe ik hem moest nemen, woest, zonder terug te schakelen, met een paar korte rukken, ik schampte erdoorheen, ik dacht dat de banden een ogenblik hun grip verloren, daar doemde de tweede bocht al op, in een gordijn van stof, ik gaf opnieuw gas, dook de helling af, de Pontiac hing schuin, brulde alsof hij werd vermoord, ik liet hem razen, de zon draaide weg, dook op in de achteruitkijkspiegel, een seconde, toen was er een nieuwe bocht. Ik hield halt, de man drukte op de stopwatch, wierp me een goedkeurende blik toe.

Neem ontslag in die garage, zei hij, ik kan je gebruiken. Vervang de wielen, ik leg het allemaal uit.

Drie weken later vertrok ik samen met een zwarte mecanicien voor een lange tocht noordwestelijk naar de hoofdstad Leopoldville aan de oever van de Congostroom. We hadden de Pontiac en een hoop reserveonderdelen mee achter op een kleine vrachtwagen.

De Brusselaar kwam ons achterna per vliegtuig, we zouden elkaar ontmoeten in Garage Vandepol in de hoofdstad. Hij betaalde me vorstelijk, ik kreeg zelfs een reisbudget, kon in een paar aanvaardbare hotels overnachten in Luluaburg en in Port-Francqui, terwijl de mecanicien in de vrachtwagen sliep. Ik handelde alle formaliteiten af om de vrachtwagen met de Pontiac aan boord te brengen van de eerstvolgende boot naar Leopoldville.

De reis over de Kasairivier en de Congostroom duurde acht dagen. Ik schreef een brief aan mijn zus en gaf hem aan een passagier die deze reis vaker maakte, een ambtenaar, hij controleerde de postvoorzieningen, hij zou er zorg voor dragen. Ik had haar kind nog niet gezien, ik schreef dat ik haar nog een keer zou bezoeken, over een paar maanden.

Zover is het nooit gekomen.

In Leopoldville heerste een drukte die me niet beviel, bij de haven werd er geroepen en geschreeuwd, het lossen van de boot schoot niet op, iedereen liep elkaar voor de voeten.

De blanken waren even onuitstaanbaar als de zwarten, blijkbaar wilden ze de formulieren laten kloppen, terwijl een van hun collega's in Port-Francqui of in Elisabethville al onzorgvuldig was geweest.

Wie haalt het in godsnaam in zijn hoofd een Pontiac van duizenden kilometers ver naar Leopoldville te halen, terwijl je hem hier eenvoudigweg kunt kopen. Wie of wat zit daarachter, de heren Lumumba, Kasavubu, Tsjombe, of Pétillon misschien?

Een ogenblik dacht ik dat ze me zouden arresteren.

Deze Pontiac neemt over een week deel aan de Stockcar Race, zei ik.

Ze grijnsden, als er iets uit de provincie Katanga kwam en het was geen erts, dan waren ze wantrouwig.

De Stockcar Race?

Ik knikte en zei in welke garage ik werd verwacht.

Plots leek hun alles duidelijk.

Rij de Boulevard Albert I af richting Kalina, Garage Vandepol ligt in een buitenwijk, pas de problème.

In de garage stond de Brusselaar ons al op te wachten, hij hing er verveeld rond, was blij dat we er waren. Meteen stak hij vol energie en begon te bevelen, de Pontiac moest van de vrachtwagen, de ophanging moest getest, de banden-spanning.

Heb je onderweg een paar keer de motor laten draaien?

Dat hadden we niet, noch ik, noch de neger, maar ik zei, ja, natuurlijk.

Hij negeerde me.

Draaide hij soepel?

Heel soepel, zei ik en ik duwde de neger weg, ga jij iets te eten of te drinken halen. Ik wilde niet dat hij zich met het gesprek bemoeide. Natuurlijk draaide hij soepel, stationair, maar ook als ik hem op de staart trapte, zonder haperen tot het maximum toerental, als een kat die miauwt, zo gelijk-matig.

Hij knikte, we hebben nog een paar dagen.

Ik wist niet of hij mij helemaal geloofde. De neger was de garage uit, die mocht straks zeggen wat hij wou, ik wilde er nu graag vandoor. Weg van het gedoe met de race, ik wilde op mijn eentje de hoofdstad in.

Ik neem de vrachtwagen en kom straks weer terug.

Je laat me niet in de steek met de Pontiac, antwoordde hij.

Nee, zei ik, en ik zat al achter het stuur en had de motor al gestart.

Ik reed kriskras door de stad, hield halt bij een zwarte bar waar ik kip met rijst at. De negers deden vijandig, ze wantrouwden mij.

Infiltrant, spion of gewoon een idioot?

Ik meende zelfs haat te zien op hun smoelen. In Elisa-bethville had ik daar nog niets van gemerkt. De Dipenda gloeide in hun ogen.

Ik betaalde en ging weg, reed de Boulevard Albert I af, stopte bij een ijssalon. Hier zaten alleen blanken, voorna-melijk vrouwen, ook de bediening was blank. Ik bestelde ijs en keek naar het verkeer op de boulevard.

Zijn linkerbeen slaapt nog steeds. Hij heft het op terwijl hij met een hand op de tafel leunt, schudt het been heen en weer tot hij de indruk heeft dat zijn bloed weer stroomt.

Een eeuwigheid geleden dat ik roomijs heb gegeten, denkt hij.

Een zomer lang nam Simone hem elke donderdagnamiddag mee naar een ijssalon, die er toen nog was op het Hertogenplein. In de voormiddag ging ze naar de kapster en met haar pasgekapte haar was het iedere keer de eerste uitstap die ze deed, met hem aan haar arm naar de Negrita. Daar zaten ze dan elk met een beker ijs voor zich die ze bedachtzaam uitlepelden. Simone zei steevast dat ze de laatste stukjes aardbei niet meer op kreeg en dan stak ze ze hem een voor een met haar lepel toe en at hij ze zonder morren op.

Op een dag, hij keerde terug van het rusthuis, waar hij bijna een uur samen met haar door het raam had gestaard, bleef hij op het terras van Le Duc op het Hertogenplein nog even een glas drinken. Toen zag hij plots dat de Negrita er niet meer was. Vaklui waren bezig met verbouwingen en weken later ging er een pizzarestaurant open, dat er ondertussen ook niet meer is. Nu bevindt er zich een delicatessenzaak waar hij nog nooit een voet binnen heeft gezet.

Eén keer reed er een ijskar door de straat van het rusthuis, net toen hij er aankwam. Toen hij de hoek omsloeg, hoorde hij het muziekje.

Die kans liet hij niet aan zich voorbijgaan. Hij kwam met een grote plastic beker vol ijs en aardbeien aan Simones bed. De verpleegsters hadden haar nog niet in haar zetel gehesen, die meisjes hadden het te druk. Hij zette de beker op de vensterbank en hielp haar uit bed, dat duurde twee volle minuten. Het ijs smolt langzaam.

Uit de cafetaria haalde hij een lepel, want het plastic

lepeltje dat in het ijs stak was te klein en broos. Daarna voerde hij Simone het ijs en de stukjes aardbei. Af en toe nam hij zelf een lepel. De hele tijd zei ze geen woord, maar hij keek haar recht in de ogen en dat liet ze toe.

Hij keek hoe haar ogen de lepel volgden en probeerde te achterhalen of ze zich misschien vaag kon herinneren, zonder woorden wellicht, wat het ijs ooit had betekend.

Het laatste stukje aardbei stak hij in zijn eigen mond.

En toen kuste hij haar voorhoofd en veegde zijn lippen af.

DE BOULEVARD ALBERT I in Leopoldville is breed als een stroom. Dit is de grootste stad die hij in jaren heeft gezien. Hij zit op zijn gemak op een terras, door uitsluitend blanken omringd. De gesprekken die hij opvangt zijn onbeduidend, nietszeggend. Het ijs is lekker en hij geniet van de rust. Hij bestelt nog een koffie, rookt een sigaret en gaat pas daarna weer terug naar de garage.

De Brusselaar vindt dat de Pontiac niet soepel draait. De neger was teruggekeerd en had na enig aandringen toegegeven dat de Pontiac de hele tocht lang niet was aangeroerd.

Geloof je zijn woord of het mijne, zeg ik, die motor zoemt als een bij.

Je wordt betaald voor goed werk, houdt de Brusselaar aan.

Het is goed werk, sneer ik, en ik ga achter het stuur van de Pontiac zitten en start. De motor spuwt smerige, diepgrijze rook, de verbranding is niet optimaal, maar hij sputtert nauwelijks, ik laat hem gonzen bij een gunstig toerental, de rook wordt lichter, de cilinders trillen, de zuigers gaan tekeer, hij draait perfect egaal.

Zie je wel, zeg ik, die motor had rust nodig, overmorgen rijdt hij als de beste.

Op de dag van de wedstrijd blijkt dat ik zijn co-piloot ben, degene met wie hij had afgesproken, heeft afgezegd. De neger blijft op post als onze enige mecanicien. Ik weet niet hoeveel wagens er deelnemen, twintig, dertig of meer. Door het motorgeraas en het geschreeuw van mecaniciens en toeschouwers hoor ik het startschot niet, ik zie alleen een witte rookpluim aan het pistool ontsnappen. We schieten naar voren – stof, roetdamp, een paar wagens raken elkaar, een auto blokkeert, springt een meter vooruit, valt stil, enkele andere moeten in de remmen –, ik denk dat we als achtste of negende het circuit op draaien.

Het circuit loopt de heuvels in, de Pontiac hotst over boomwortels, aardkluiten vliegen in het rond, in de bochten scheren we rakelings langs de toeschouwers. Het publiek wordt slechts door een koord die van boom tot boom is gespannen van het parcours gescheiden. Op de mooiste stukken van het parcours staan tribunes opgesteld waarop vooral blanken hebben plaatsgenomen. Maar ook de zwarten kijken enthousiast hoe de blanken hun auto's in de vernieling rijden.

Links en rechts worden we ingehaald door een Simca, door een Corvette, door een Alpine, op de minder steile stukken wint de Pontiac weer terrein. Na drie ronden liggen we nog altijd in negende of tiende positie.

De Brusselaar wil in de topvijf, ik herken de verbeten trek om zijn mond, onderlip tussen zijn tanden, het gaspedaal tegen de vloer gedrukt. De Pontiac brult, gilt, ik ruik verschroeid rubber, ik ruik verbrande olie en benzine. Met een gewiekste manoeuvre zet hij de Alpine opzij. In de afzink van een heuvel laat hij ook nog een Thunderbird achter zich. De Pontiac kreunt, trilt, rammelt, maar houdt stand. Een Daimler komt opzetten, we naderen de onderhoudspost waar onze mecanicien klaarstaat, ik hang uit het raampje.

Houd olie klaar en water voor de voorruit, schreeuw ik.

In de volgende ronde passeert de Daimler ons, de Alpine lijkt teruggeslagen, de Thunderbird volgt in ons spoor, onze voorruit kleeft vol aarde en stof, de ruitenwissers schrapen over het glas, laten dikke vegen achter.

Als de neger er maar staat met een emmer, vloekt de Brusselaar met nog altijd de verbeten trek om zijn mond.

Ik heb het parcours in mijn hoofd geprent, dadelijk een bocht naar links, dan een helling op, oppassen voor een venijnige boomwortel, ik geef zo goed mogelijk instructies, die Lancia kunnen we voorbij na de volgende klim, enzovoort.

Hij moet dat water gewoon over de voorruit gooien als we eraan komen, dat begrijpt hij toch wel?

Natuurlijk, zeg ik.

En jij gooit de olie erin.

Het peil is oké, zeg ik, die olie vormt geen probleem.

Wanneer we weer in de onderhoudspost aankomen, gooit de zwarte inderdaad een emmer water over de voorruit en stopt me een blik olie toe, alles in een paar seconden. De ruitenwissers vegen het water en het vuil weg, de Pontiac is alweer op het circuit, ik gooi het blik olie tussen mijn voeten.

Gas geven, roep ik, niks aan de hand, let op de Corvette.

Hij haalt het onderste uit de Pontiac, die brult en giert, we snijden de Daimler de pas af, kreunen de helling op, we houden positie zes of zeven, halverwege een helling staat een Karmann Ghia met rokende motor aan de kant.

De onze is perfect afgesteld, roep ik, die raakt niet oververhit.

Maar zijn blik is vertwijfeld, misnoegd, om de olie die ik onaangeroerd laat. De ruit is alweer kurkdroog.

Hij geeft gas, we naderen opnieuw de onderhoudspost.

Links komt de Corvette, zie ik uit een ooghoek, de Brusselaar heeft het ook gezien.

We razen door de post, daar staat de neger, opnieuw met een emmer, maar het is niet nodig, de Brusselaar houdt de Corvette in het oog, ik zie de neger, ik schreeuw, te laat, de neger krijgt een klap, ik zie hem omhoog tollen, we schieten het circuit op.

De mecanicien, roep ik, je hebt hem geraakt.

Ze rapen hem wel op, zegt hij.

Hij houdt de Corvette af en bij de volgende doortocht is er geen spoor van de mecanicien meer. We eindigen de race als negende, hij is teleurgesteld, de Pontiac is gehavend aan zijn rechterflank waar hij de mecanicien heeft geraakt. We vinden hem nadien, ze hebben hem tussen de struiken gelegd, hij is doodgebloed.

Godverdomme, zeg ik. Ik ben de enige die erom vloekt.

Neem maar het vliegtuig terug, zegt hij, de Pontiac hoeft niet meer naar Elisabethville, ik keer er ook niet terug.

Hij geeft me een rol geldbriefjes. De mecanicien wordt in de grond gestopt op een klein kerkhof.

En de vrachtwagen?

Die blijft ook hier, zegt hij, je bent bedankt.

Ik keer terug naar Elisabethville, maar niet naar een garage. Daar heb ik mijn bekomst van. Ik heb op plantages gewerkt, in een zagerij, ik heb leren vliegen en varen, ik heb de Stockcar Race achter de rug, ik ben ervan overtuigd dat ik om het even welk werk aankan.

Ik kuier een dag rond in de stad en stap uiteindelijk bij een drukkerij binnen waar ze nog een blanke kunnen gebruiken.

Meneer Mommens, de directeur, plaatst me meteen aan het hoofd bij de persen. Ik hoef niet zelf te drukken of het zetwerk te doen, alleen alles aan de gang houden. De drukkers en zetters zijn zwarten, meneer Mommens houdt zich uitsluitend bezig met de klanten, slechts zelden verlaat hij zijn kantoor om zich in de drukkerij te vertonen. Het geraas van de persen, het getik en getokkel in de letterbakken, de geur van inkt en papier, het gelach en gepraat van de zwarten, ik raak er snel aan gewend. De zetters en drukkers zijn *evoluees*, geen broussenegers, ze kunnen lezen en schrijven, ze kunnen België aanwijzen op de wereldkaart die in de werkplaats hangt. Soms gaan we samen iets drinken.

Mijn appartement in de blanke wijk houd ik aan, met de scooter rijd ik naar de drukkerij.

AF EN TOE dwaalt hij, dwaalt hij af, denkt dingen die hij had willen doen alsof hij ze werkelijk gedaan heeft. En op andere dagen corrigeert hij het weer zoals het geweest moet zijn. Hij doet geen mens kwaad met zijn herinneringen. De apentanden heeft hij niet opnieuw geteld.

Niemand die een blik op hem werpt, hij staat helemaal alleen op het koertje.

Hij kijkt naar de muur waarop geen mus of mees of kat te zien is.

De muur bladdert af, daar moet hij iets aan doen, met een borstel al het vuil en de schilfers eraf schuren, en dan met een kwast de muur opnieuw witkalken.

Maar verder dan het voornemen komt hij niet, dat weet hij.

Een oude emmer waar hij de kalk in kan roeren staat in de kelder, bij de andere rommel die hij nog zelden gebruikt. Het is maanden geleden dat hij in de kelder kwam.

Morgen ga ik kijken, denkt hij, hoe die kelder er voorstaat, of de treden niet te glad zijn van het vocht en de schimmel, voet voor voet voorzichtig naar beneden, met een hand langs de wand, want een leuning is er niet.

Het is een gemetselde trap. In de ruimte eronder zijn schappen aangebracht. Daar werd de melk, de boter en het vlees bewaard, en kratten bier. Voor en na elke maaltijd moest hij of Simone naar de kelder. Tot ze een ijskast aanschaften.

Een paar keer heeft hij ijskasten en diepvriezers vervoerd, van Duitsland naar Italië. En daarna espressomachines van Italië naar België. Hij herkent de machines, in de Paardenkopersstraat is een brasserie waar ze er precies zo een hebben. Vroeger dronk hij daar soms een kop koffie, nu is het alweer lang geleden, de Paardenkopersstraat ligt te ver weg. Nee, koffie drinkt hij met evenveel genoegen in Café Le Duc, waar hij dagelijks naar dezelfde mensen kan kijken. De scholieren en studenten die na hun lessen op het Hertogenplein blijven rondhangen, dat roodharige meisje dat hem iedere keer opvalt en aan iemand doet denken. Iemand uit de tijd dat ik zelf naar school ging, denkt hij, of was het later, het beeld wil niet helder worden. Het is niet alleen haar haar, het is ook de manier waarop ze loopt en met haar schouders trekt en hoe ze haar hoofd een beetje schuin houdt, alsof ze iets bestudeert.

Misschien gaat het uiteindelijk om iemand die hij ook toen maar heel oppervlakkig heeft gekend, die hem alleen maar opviel in een menigte, iemand van wie hij dacht dat het vast de moeite loonde haar beter te kennen, maar met wie het om allerlei redenen, of gewoon uit laksheid, nooit zover is gekomen.

Zoveel meisjes en vrouwen zijn er door zijn handen en herinneringen gegaan dat sommige veronachtzaamd verdwijnen.

Het hindert hem. Daarom is het goed dat hij naar de muur staat te kijken, dat wekt andere dingen, drie haken die op ooghoogte op een rijtje in de voegen tussen de stenen zijn geslagen, dat heeft hij gedaan. Simone wou het graag. Daar hebben vele zomers lang bloempotten gehangen met geraniums, rode geraniums. Een keer waren het petunia's, witte, roze, paarse, maar dat vond ze een vergissing. Een probeersel dat ze na twee weken al herstelde. Ze kieperde de petunia's zonder pardon met aarde en al in de vuilnisbak.

Hij haalde een zak verse potgrond, keek terwijl hij een sigaret rookte rustig toe hoe ze de geraniums, die ze in allerijl in een tuincentrum had gekocht en niet op de markt zoals ze altijd deed, de bloemenverkoper kende ze al jaren, van voor híj haar kende, ze maakte er grapjes mee, misschien was er ooit een glimp van genegenheid, een twijfelende aantrekking of wat ook tussen hen geweest waarvan de laatste resten in de bloemen schuilden, bloedrode geraniums, waarom niet, op dat soort dingen ging hij nooit dieper in, hoe ze de geraniums plantte.

Toen zijn sigaret was opgerookt, zaten de geraniums in hun potten en Simone vroeg hem ze aan de haken te hangen. Hij knikte, nam een pot, haalde tegelijkertijd de peuk uit zijn mond en hij duwde de peuk in de verse aarde bij de bloem, Simone zag het, en hij hing de pot aan de haak, hing hem mooi recht.

Simone zei niets, ze wachtte tot hij ook de beide andere potten had opgehangen en toen vroeg ze, waarom doe je dat nu? Hij haalde zijn schouders op en glimlachte een beetje, een antwoord had hij niet.

Op het hoogtepunt van de zomer riep hij haar naar buiten, het was bloedheet, Simone bleef liever binnen achter de neergelaten rolluiken waar het koeler was.

Kom kijken, zei hij, en wees naar de geraniums, welke vind je de mooiste, de roodste? Ze keek, dacht na, en wees ten slotte naar de middelste. Dat is die met de peuk, zei hij en glimlachte opnieuw.

Dat deed hij ieder jaar.

Toen Simone het niet meer kon, ging hij in het voorjaar zelf naar de bloemenmarkt. De oude verkoper was er niet meer, had zijn handel aan een jong stel overgelaten, maar de geraniums zagen er nog hetzelfde uit. Thuis schikte hij de bloemen in de potten, zonder sigarettenpeuk, en hing ze op aan hun haken. Ook nu werden de geraniums bloedrood en hij haalde Simone pas naar buiten wanneer ze volop in bloei stonden, zodat het felle rood in het zonlicht bijna pijn deed aan de ogen.

Simone keek ernaar, ze was stil, alsof ze echt onder de indruk was, hij meende een tevreden, bijna gelukkige trek op haar gezicht te zien.

Misschien brachten de opdringerig rode bloemen iets terug in haar herinnering waar ze blij om was, maar waarvoor ze de woorden niet meer had. Iets met de bloemenverkoper, waarom niet, dat vond hij niet erg. Ze strekte er haar handen naar uit, als een kind, dacht hij, maar hij haakte de bloempot niet van de muur, ze is geen kind, dacht hij.

Sinds hij haar naar het rusthuis bracht, hangen er geen geraniums meer aan de muur.

De haken blijven leeg.

De bloempotten moeten ook in de kelder liggen, denkt hij. Als ik morgen naar de emmer zoek, haal ik meteen die potten naar boven, het beste van deze zomer komt nog. Ik hoef de muur niet te witten om alvast weer geraniums op te hangen. Overmorgen neem ik de bus naar de markt en koop ik drie planten.

Hij wacht met zijn handen in zijn zakken, een houding die hij als vanzelf aanneemt, zoals alle oude mannen deden die vroeger op de boerderij langskwamen. Alsof de handen uit de zakken nemen betekende dat ze gebruikt moesten worden.

Zo staat hij voor de muur en verzet geen voet. Hij heft alleen maar zijn hoofd en kijkt naar de huizen verderop waarvan hij de achterkant ziet.

Hij heeft geen reden om het hoofd af te wenden en naar binnen te gaan, want binnen gaat de avond gewoon door.

Op het achterbalkon van een van de huizen is een vrouw verschenen die wasgoed ophangt. Ze zal vijftig zijn, denkt hij. Het is niet de eerste keer dat hij haar ziet op dat balkon.

Zijn eigen wasgoed raapt hij om de twee weken bij elkaar en brengt het naar de wasserette. Zesentwintig keer in een jaar, dat houd ik wel vol, denkt hij, wat het meisje van de sociale dienst ook zeurt.

De vrouw op haar balkon slaat geen acht op hem, een oude man op zijn achterkoer. Wat kan zij over hem denken? Fijn dat zo iemand nog bestaat, met zijn handen in zijn zakken, iemand die het jachten en jagen achter zich heeft gelaten, die in zijn eentje naar de wereld staart. Zijn belangstelling zal wel dor zijn, zijn broek zal wel stinken?

Nu steekt hij een sigaret op, hij schudt de lucifer heen en weer, ze ziet zeker het vlammetje, de rode punt van zijn sigaret.

Hij haalt de sigaret uit zijn mond, een pauze, dan blaast hij de rook uit, tussen zijn lippen, uit zijn neusgaten, terloops, die handeling is nog net zo jong als indertijd.

EEN JONGE GIER streek neer in een boom in het park van de blanke wijk, schudde nog even zijn vleugels voor hij ze dichtvouwde. Zijn kop hing als een haak aan zijn romp.

Hij sloot zijn vleugels en het volgende ogenblik was hij niet meer te zien, opgeslokt door het paarse groen van de boomkruin.

De avond spreidde zijn vingers, greep het laatste licht.

Ik sloot de deur van mijn appartement, daalde de trappen af om mijn benen soepel te maken en omdat de lift soms bleef haperen. Ik startte de scooter, reed naar de Quartier Albert, waar ik had afgesproken met een paar zwarten van de drukkerij.

De avondlucht in Elisabethville kon kil zijn, ook in de zomer. Het plateau hield de warmte niet gevangen, de wind kreeg vrij spel. De blanken vonden het fijn 's avonds hout op het vuur te gooien, zich op dit continent aan een kachel te warmen. Ze bleven Europees.

Ik ontmoette mijn makkers in de bar Chez Léon waar we tot laat bleven hangen. We dronken Tembo en Primus, betaalden om beurten, discussieerden over de Dipenda, de onafhankelijkheid die hun land eindelijk had verkregen, over Lumumba, die de president had moeten worden, en Tsjombe, die Katanga zou gaan leiden, en Kasavubu, die de president werd, over de blanken die kolonialen waren en de zwarten hun rijkdommen afpakten, over koning Boudewijn. Maar hun echte rijkdommen kwamen op onze schoot zitten en ze hadden borsten en brede billen en heupen die je konden radbraken.

Van Chez Léon trokken we te voet naar een ander café. De meisjes vergezelden ons en we zongen en maakten grapjes en onderweg zagen we vuurwerk en we hoorden de knallen, alsof de Dipenda nog altijd moest worden gevierd.

De meisjes lieten zich alleen bepotelen en zoenen en meer verlangde ik ook niet, want als ik drink, concentreer ik me op de drank en de rest is entourage, context, sfeer. We sleepten ons naar een volgend café, waar we een van de mecaniciens uit de garage tegen het lijf liepen. Een ogenblik keek hij me met water-en-bloedogen aan, het leek of hij iets wilde zeggen, maar toen wendde hij zich af en staarde in het schuim op zijn bier. Muziek schalde uit de luidsprekers en twee van de meisjes begonnen te dansen, schommelend met hun heupen dat ik er bijna zeeziek van werd. Uiteindelijk dansten ook wij, de drukkersgasten.

Aan de tafels en in de straat vielen opnieuw de namen Tsjombe en Lumumba en het knallen en het vuurwerk gingen verder, we hoorden discussies en gejoel, nog meer mannen bedelden om de gunsten van de meisjes, handen werden uitgestoken, heupen betast, het dansen werd wilder. Wij, de drukkersgasten, zochten een ander café op waar het feesten onverminderd voortging. We letten niet op de discussies, we concentreerden ons op het bier, het schuim hing aan onze lippen. We keken op de klok en konden het niet eens worden over het juiste uur. Het rumoer nam af, we betaalden en gingen op zoek naar de scooter. De straten liepen leeg, eindelijk leek de slaap over de stad neer te dalen. We namen afscheid, welk uur het ook was, de nacht hing met zijn laatste vingers aan de daken en aan de boomkruinen in de parken.

Ik trapte de scooter op gang, liet de Quartier Albert achter me, reed traag, ik had gedronken en dat wist ik, door de kale straten en het niemandsland dat de blanke tuinwijk scheidde van de Quartier Albert. In de tuinwijk liep niemand.

Het duurde een paar minuten voor ik de deur van mijn appartement open kreeg, in het halfduister strompelde ik naar mijn kamer, schoof de gordijnen dicht en gooide mij op bed.

Ik werd wakker op het uur waarop ik gewoonlijk wakker werd, dat dacht ik althans. Met gesloten ogen bleef ik nog een paar minuten liggen, tot het tot me doordrong dat ik me in mijn eigen bed bevond, in mijn ondergoed dat stonk naar zweet en bierlucht en sigarettenrook.

Buiten moest de kille plateaulucht al flink zijn opgewarmd. Ik kwam overeind, ging op de rand van het bed zitten.

Er ontsnapte mij een scheet en dat was het enige geluid dat ik hoorde, maar dat had ik op dat moment niet door.

Ik rookte rustig een sigaret, ik zou me daarna wel haasten, het werk op de drukkerij ging er niet vandoor. Mijn horloge stond stil op zevenendertig minuten over vijf. Het moest later zijn, maar nog geen half acht, want ik hoorde niet het minste gerucht in het gebouw. Niet boven, niet onder of naast mijn appartement, niemand die op was, geen gestommel, geen water dat door de buizen liep. Alsof ik de enige was die aan de dag wou beginnen.

Alles was stil.

Geen geluid van een baby, geen kinderstemmen, geen auto die startte, geen radio die aanstond, geen voetstappen op de trappen, geen twee die elkaar groetten, niets.

De hele wijk was in stilte gehuld.

Ik stond op van het bed, liep naar het raam, maakte een opening in de gordijnen en keek naar buiten.

Stilte.

De straat was leeg, zelfs de auto's waren verdwenen, op een paar na die er vreemd bij stonden, een met open portieren, een dwars over de weg.

Alles was stil.

Ik duwde de gordijnen verder opzij, opende het raam om beter te kijken.

De hele wijk gaf een verlaten indruk. Van enkele huizen stond de deur open, ruiten waren gebroken, op een muur zaten bloedvlekken. Aan een struik hing een lichtblauw onderhemd.

Aan de overkant zag ik een zwarte vrouw door een tuin sluipen. Ze zeulde een hoop kleren mee, blanke kleren.

Ik trok snel een hemd en een broek aan en rende de straat op, ik kon de vrouw nog net te pakken krijgen. Ze zag me en barstte in tranen uit, ik begreep geen woord door haar gesnik. Ik nam haar bij haar schouder, ze zag eruit als een apin, verschrompeld en verschrikt, maar haar tanden leken in niets op die rond mijn hals, ik schudde aan haar schouder en ze bedaarde. Ze sprak Frans, een evoluee.

Gisteravond was het begonnen, bij het vallen van de duisternis, de zwarten, een bende met messen en geweren, sommigen in uniform, muiters, soldaten, burgers, te voet en met auto's, ze zijn de wijk in getrokken, hebben de blanken uit de huizen gehaald, er werd geschoten, geplunderd, verkracht, blanken sloegen op de vlucht.

Ze was huishoudster bij de familie waar ik haar had betrapt. De familie had alles in de steek gelaten, zij kwam redden wat ze kon.

Ik liet haar gaan. Mijn scooter stond nog bij de poort, on-aangeroerd. Ik sloot het appartement af en haastte me naar de drukkerij.

Onderweg zag ik drie blanken onthutst op de trappen van het postgebouw zitten. Ik hield halt. Ze hadden zich tijdens de nacht verscholen, nu bij klaarlichte dag leek alles weer rustig.

Weet jij niet wat er is gebeurd?

Nee, zei ik, ik kwam pas laat thuis vannacht.

Zeven blanken vermoord, onder wie de consul van Italië, doodgeschoten in zijn auto. De helft van de blanken is ge-vlucht naar Kasumbalesa, de grenspost met Rhodesië. Wie er nog is, regelt nog wat zaken om ook te vertrekken, zoals wij. Nu is alles weer kalm, maar voor hoelang?

Ik blijf, zei ik.

IN DE DRUKKERIJ wist iedereen wat er was gebeurd, en iedereen deed gewoon zijn werk.

Natuurlijk moesten er artikelen over verschijnen in de krant die we drukten.

Meneer Mommens was ermee bezig voor de middageditie.

We zullen de oplage drastisch moeten beperken, er zullen niet plots honderden extra zwarten onze krant lezen, laat staan kopen, zei hij.

De helft van de blanken was Elisabethville ontvlucht.

De drukkersgasten schenen opgelucht dat ze me terugzagen. Maar in de stad was de spanning en de onzekerheid te snijden.

De dagen daarop werkten de zwarten in de drukkerij precies zoals de dagen ervoor. Elke dag ontvingen ze hun loon. Ook ik deed mijn werk.

Onze middagpauzes hielden we zoals gewoonlijk in Café La Couronne. Daar zagen we regelmatig medewerkers van Moïse Tsjombe die ook een hap kwamen eten of een glas drinken, Belgisch bier met veel schuim waar ook de drukkersgasten verzot op waren. Soms kwam Tsjombe zelf langs, dan besprak hij iets met een van zijn medewerkers, knikte ons vriendelijk toe, ook mij, de enige blanke in hun gezelschap, een paar lijfwachten liepen als een schaduw achter hem aan.

Meneer Mommens gaf orders zoals altijd, er viel niets aan hem te merken. Maar toen ik drie dagen later zijn kantoor betrad, was zijn bureau leeg, alle papieren waren weg, een brilétui lag er nog, verder niets.

Ook hij, zijn vrouw en dochters waren dan toch inderhaast vertrokken. Zonder iemand te verwittigen. Er lag geen brief met instructies of een afscheid, niets.

Er was nog drukwerk genoeg buiten de krant, de gewone publiciteit voor kapperszaken, textielwinkels, kruideniers, drogisterijen, bars, kortingsbonnen, uitzonderlijke aanbiedingen, alles zoals de weken en maanden ervoor.

De zwarten vroegen me welke teksten ze moesten zetten en drukken. Ik hoefde alleen maar uit te zoeken wanneer een en ander klaar moest zijn. Van het ene moment op het andere werd ik het hoofd van de drukkerij. Van meneer Mommens hebben we nooit meer iets vernomen.

Ik verliet mijn appartement en nam mijn intrek in het huis van de Mommensen. Niemand keek ervan op, zelfs de boy en de huishoudster keerden terug en deden of er niets aan de hand was, ik liet ze hun gang gaan. Het was er ruim, rustig, koel, er stond een radio. Ik vernam op een jammerende, hysterische toon dat in Leopoldsville, in Albertville, in Stanleyville, bijna overal in het land jacht op blanken werd gemaakt, dat zwarten elkaar onderling aanvielen, dat er gemoord werd, verkracht, geplunderd, ook in de Kivustreek, waar de plantage van mijn zus lag.

Maar naar Elisabethville keerden sommige blanken terug. Waarschijnlijk omdat de mijnexploitanten een regeling hadden getroffen met Tsjombe, en huurlingen ronselden. Al tijdens de nacht van de onlusten en de muiterij hadden blanke elitetroepen het oproer neergeslagen.

De ergste chaos is daar in de provincie Katanga aan ons voorbijgegaan.

DE OCHTEND NADAT ik het huis van de Mommensen had ingenomen, stond plots Moïse Tsjombe in de drukkerij.

Hij overhandigde mij een document, dat onmiddellijk moest worden gedrukt en verspreid, zei hij in onberispelijk Frans, op een toon die ik kon appreciëren.

Ik liet de tekst meteen zetten en legde al het overige drukwerk stil.

We gingen een *Proclamatie* drukken, de onafhankelijkheidsverklaring van Katanga. De provincie scheurde zich los van Congo.

Tsjombe werd de president met steun van de blanke ondernemers en van de zwarte werkers. Niemand wilde hier de troebelen die de rest van Congo onveilig maakten.

Het was maar een stukje drukwerk, niet eens fraai gezet, maar daar konden we ons het hoofd niet over breken. Het was het belangrijkste document dat ik ooit in handen heb gehad.

Na het drukken liet ik de persen stoppen. We gingen met de hele drukkersploeg de onafhankelijkheid van Katanga vieren, met onafhankelijke meisjes.

Natuurlijk bleef het niet duren met de drukkerij met mij aan het hoofd. Te veel kopzorgen, het zoeken naar klanten, naar inkt, naar papier, de boekhouding bijhouden, de lonen uitbetalen, nee.

Ik probeerde het bedrijfje te verkopen, maar de banken bemoeiden zich ermee, ik liet de drukkerij toen maar in de steek. Er waren gemakkelijker manieren om aan financiën te komen in het wespennest dat Congo geworden was, zeker in het pas afgesplitste Katanga.

Tsjombe en enkele blanke ondernemers rekruteerden nog steeds huurlingen ter verdediging van de jonge Katangese staat. Daar viel grof geld mee te verdienen.

Ik had zelf de rekruteringsadvertenties gedrukt.

Heel Congo stond in vuur en vlam. Niemand wist precies wie waar de lakens uitdeelde.

Ik wilde niet de richting van de geschiedenis bepalen, maar wel die van de kogels. Ik had een vaste hand en had niets te verliezen, overtuigd dat ik me erdoorheen zou slaan.

Ik werd getest door een blanke Rhodesiër en een Belgische dokter, en werd geschikt bevonden, fysiek en mentaal in orde, over mijn motieven werden weinig vragen gesteld, ik wil betaald worden, zei ik.

Een Poolse oud-officier probeerde een Katangese luchtmacht van de grond te krijgen. Met steun van de mijnbedrijven had het regime hier en daar enkele vliegtuigen aangekocht uit privéstocks en de Belgen hadden een tiental toestellen achtergelaten.

Ik zei dat ik kon vliegen.

Een Dornier?

Geen probleem, verzekerde ik hem.

Ze deelden me in bij een geïmproviseerde vliegeniersbrigade, een paar Belgen, een enkele zwarte, een blanke Zuid-Afrikaan, een Fransman en een Deen, meen ik me te herinneren. Ik werd meteen naar Luano gestuurd, het vliegveld nabij Elisabethville.

Twee dagen later steeg ik op voor een eerste verkenningsvlucht.

HIJ DOOFT ZIJN sigaret. Het balkon is weer verlaten, alleen het wasgoed hangt er nog. Het heeft geen zin er nog langer naar te kijken.

Onder het keukenraam staat een krukje tegen de muur.

Dat heeft hij daar jaren geleden neergezet. Soms ging Simone er uitrusten, in de open lucht en toch aan het oog onttrokken, ingesloten door vier muren. Niemand zag haar, de balkons en de ramen van de huizenblokken telden niet mee.

Dan trok ze als het warm was haar blouse uit, zat daar ongegeneerd in haar onderjurk in de avondzoelte.

En ik stond waar ik nu sta en ik rookte een sigaret.

Dat houdt de muggen weg, zei ik.

Maar na een poosje stuurde ze me naar binnen om muggenmelk. Dan wreef ik haar armen en schouders en hals en benen in.

Samen keken we naar de geraniums.

En we hoorden de geluiden van de straat en van de buren, de televisie die aanging.

We hadden ieder onze gedachten.

Hij gooit de peuk die hij peinzend tussen zijn vingers hield op de grond, wrijft hem kapot onder zijn schoenzool, gaat op het krukje zitten met zijn rug tegen de muur.

Zo zat Simone daar, in de avondzoelte.

Hij ademt, hij wrijft een hand over zijn gezicht, legt zijn achterhoofd tegen de muur.

Morgen maak ik werk van de geraniums, denkt hij, ik haal potgrond. Ik doe het 's ochtends en 's middags hangen ze al aan de haken.

Hij kijkt nog een keer naar het gras dat hij heeft uitgespreid. Het zonlicht is weg uit die hoek, maar de lucht blijft droog en warm.

Wanneer hij wil opstaan, voelt hij een zwaarte in zijn benen rijzen.

Ik blijf nog even zitten, denkt hij, tot mijn benen zijn uitgerust.

Niets dat hij niet kan uitstellen, verdagen, opgeven, nalaten. Het duurt misschien nog een tijdje eer het meisje van de sociale dienst opnieuw langskomt.

Ze zal schrikken wanneer ze de geraniums ziet hangen.

U geeft het niet op, zegt ze, u houdt van bloemen?

Van deze wel, zeg ik.

En u hebt zelfs de muur weer witgekalkt, zegt ze.

Indien dat zo is, zal ik alleen maar knikken.

U huurt dit huis al lang, zegt ze, u wilt hier niet vertrekken.

Hij glimlacht. Een flauwe glimlach die op zijn gezicht niets betekent. Hij laat niet in zijn kaarten kijken.

De stad wil dit pand kopen, zegt ze, de eigenaar wil er wel vanaf, maar u bent de huurder, u hebt het laatste woord, voor de stad is het pand alleen interessant als het kan worden afgebroken. Als het pand wordt afgebroken, worden hier sociale woningen opgetrokken, de stad heeft de panden van hiernaast al aangekocht, van drie of vier oude huizen maken we acht of tien nieuwe woningen, denkt u er eens over na. U krijgt de kans hier opnieuw te wonen, in een moderne flat. In afwachting kunt u naar een rusthuis, u wordt daar goed opgevangen. U twijfelt, ik weet het.

Ik twijfel niet.

U bent sceptisch. Of beter, u bent huiverig, zegt ze, dat begrijp ik, maar kijk zelf hoe u hier woont, het huis is versleten, en waar dient dat gras voor?

Voor de geur, zeg ik, deze geur ruik je nog zelden als je er niet zelf achteraangaat.

O, zegt ze.

Ja, zeg ik.

Ik ga het haar niet aan haar neus hangen.

Maar binnen ruikt het allesbehalve fris, zegt ze terwijl ze het huis in gaat. Ze wijst op de volle asbakken, die in de keuken en in de woonkamer staan. Zal ik een schoonmaakster laten komen?

Je mag niet verkommeren, zegt ze.

Nee, zeg ik, bedankt voor het bezoek. En ik leid haar naar de deur.

Ze verdwijnt.

Ik heb geknikkebold, denkt hij.

Hij ziet weer de lege haken voor zich, de vuile, afbladderende muur. Maar de zwaarte in zijn benen is weg. Hij staat op en gaat naar binnen.

DE JEEP SCHOOT heen en weer over de keien en de boomwortels, ik werd door elkaar geschud als een lappenpop. Ik leunde op mijn geweer dat met de kolf op de vloer tussen mijn benen stond, onze zwarte commandant zat achter het stuur.

Nu en dan sloot ik mijn ogen, of eigenlijk opende ik ze nu en dan.

Ik was het moe op te letten, ik was moe zonder meer, ik had willen slapen.

Na de nederlaag van Tsjombe en zijn Katangese leger had ik me na enkele omzwervingen rond het Kivumeer aangesloten bij de Simba's.

Wanneer het me te heet onder de voeten werd of wanneer de verkeerde partij verliezen begon te lijden, bestond er altijd een uitweg. Ik hoefde maar van uniform te wisselen, er waren partijen genoeg, alleen mijn huid kon ik niet afstropen. En als er geen uniformen meer waren, verzonnen we een uniform, voor de tijd die nodig was.

We hadden de ganse nacht gereden, de geluiden van het woud en de savanne echoden na in mijn hoofd. Ik kon niet meer onderscheiden wat tot het woud, wat tot de savanne en wat tot de nacht behoorde. Het was ochtend en ik hoorde alleen het geluid van de jeep, een amechtig ronken, de commandant gaf te veel gas voor te weinig snelheid.

De jeep slingerde woest van links naar rechts over de weg vol kuilen en boomwortels. Ik was murw tussen mijn oren, voelde me voos en stram in mijn armen en benen, moe en afgemat in mijn borst en mijn buik, mak en lam in mijn lul.

De zon wierp haar nog vochtige vroege stralen over de weg, ik hield mijn ogen een poosje open, ik meende de weg te herkennen. Misschien vergiste ik me.

Ik was de enige blanke in de jeep en achter ons reden nog twee vehikels met alleen maar zwarte krijgers. We hadden een lading munitie mee voor de hoofdmacht die te voet door de brousse was getrokken. We zouden ons bij de hoofdmacht vervoegen op een punt dat slordig op een slecht getekende kaart stond aangeduid, maar de commandant maakte zich geen zorgen. En het kon mij ook niet schelen.

Iedereen in Congo was bang voor de Simba's. Ik was liever een van hen dan dat ik me tegenover hen bevond, ze keken eerbiedig naar de apentanden rond mijn hals.

Ik had ooit met Mulele, enkele maanden voor de onafhankelijkheid en voor hij leider werd van de Simba's, na een wilde avond in de brousse samen pombe gedronken. We zaten in een dorpje niet ver van een rivier waar het krioelde van de krokodillen bij een terrein dat nooit een goede plantage was geworden. In enkele uren vraten de termieten je huis kaal, maar Pierre Mulele zei dat hij ze kon stoppen.

Ik stond er toen niet bij stil wie Mulele bedoelde met de termieten.

Nu tolereerden de Simba's me omdat ik zei dat ik Pierre Mulele kende, dat hij met mij pombe had gedronken, dat we hadden gediscussieerd, dat hij me had gezegd dat hij de termieten zou verdelgen, dat ik net zo onkwetsbaar was als zij zolang ik even hard in Pierre Mulele geloofde en dat het mij omdat ik blank was bovendien minder moeite kostte. Mulele had mijn apentanden in zijn handen genomen en me verzekerd dat ze me zouden beschermen. Dat paste allemaal bij wat de krijgers dachten en daarom tolereerden ze me, geloofden ze me zelfs.

Ik zat in de jeep en probeerde mijn ogen open te houden in het ochtendlicht, ze traanden. Ik was moe en stram en ongeduldig.

Ik meende het landschap te herkennen, de splitsing van de weg. De ochtend kwam me bekend voor en ik veegde mijn ogen droog met de rug van mijn hand.

De krijgers kauwden op een van hun kruiden, ik zag hun kaken langzaam, lusteloos bewegen. Ook zij zeiden geen woord, ook zij waren moe.

De commandant sloeg bij de splitsing links af.

Ik herinnerde mij de ochtend.

De commandant liet de jeep stoppen. Naast de weg lag een missiepost. Ik herkende de vogelverschrikker, hij hing schuin dit keer, tomatenstruiken waren opgebonden aan stokken, kolen, sla, wortelen stonden op rechte rijen, de aardappelen waren al voor de helft gerooid, het verdorde loof lag op een hoop klaar om verbrand te worden. Ik zag het allemaal terwijl ik uit de jeep klom.

Het ging snel. De andere vehikels, een lichte vrachtwagen en een camionette, hielden ook halt. Meteen sprongen de krijgers eruit.

De twee zwarte zusters die bezig waren in de tuin renden krijsend het missiehuis binnen.

De pastoor verscheen in een deurgat, verstoord bij het brevieren in Gezelle. Hij wilde iets zeggen, kreeg van onze commandant met een geweerkolf een stomp in zijn gezicht. Hij viel.

De meeste krijgers stormden naar binnen.

Drie sleepten de pastoor naar de kerk. Enkelen beukten de poort in van de schuur waarvan ik nog wist dat er een vat benzine stond.

Ze sleurden twee zwarte zusters, een paar zwarte broeders en drie blanke nonnen uit het missiehuis naar buiten.

De *munganga*, hun tovenaar, die naast mij in de jeep op zijn kruiden had zitten kauwen, spuwde een groene fluim op de grond. Hij riep iets naar de manschappen, in een taal die ik niet begreep.

De pastoor kreunde, de commandant gaf hem een stomp in zijn lendenen.

De kerkdeur was open. De broeders en nonnen werden in de kerk gedreven.

Plots begon het klokje dat boven op het dak van de kerk hing, te kleppen. De krijgers draaiden geschrokken het hoofd.

Ik zag de wrevel op het gezicht van de munganga, hij schudde de leeuwenmanen die aan zijn haren waren bevestigd en schreeuwde opnieuw iets in de taal die ik niet begreep. Hij hief zijn speer naar de pastoor die nog altijd voor de kerk op de grond lag.

Ik greep hem bij zijn arm.

Vertoornd keek de munganga me aan, maar ik liet hem niet los, ik kneep stevig in zijn vlees.

Dit is geen tovenarij, zei ik, in een taal die hij begreep, die ik na al die jaren onder de zwarten had geleerd.

De commandant spitste zijn oren.

Natuurlijk had een pater die zich in de kerk had verscholen de noodklok geluid voor de omliggende dorpen en gehuchten. Die klok klepte niet door toedoen van magische krachten.

Ik raapte het *Verzamelde werk* van Gezelle op.

Dit zijn geen gebeden, zei ik, en geen toverspreuken.

Ik sloeg het boek open en las de regels hardop.

Heur' trompe steekt de koe: ze is moe
van neerstig om te knagen;
van lange, in 't jeugdig grasgewas,
den zwaren eur te dragen...

Ik had het gedicht op school uit het hoofd moeten leren, als boerenzoon herkende ik de beelden, nu keken de zwarten op, onder de indruk van de bezwerende klanken.

De munganga siste tussen zijn tanden, zette zijn speer met de punt op de grond.

De commandant luisterde gespitst, hij was een evoluee, ik wist dat hij Vlaams geleerd had bij de paters.

Gedichten zijn maar woorden. De aandacht verslapte.

In de kerk klonk een geweerschot, de klok hield op met klepelen.

De commandant nam me het boek uit de handen en bladerde erin.

Is dat Vlaams? vroeg hij.

Ik knikte.

Een van de manschappen kwam uit de kerk gelopen. Hij hoorde de commandant voorlezen uit het boek en ging in de houding staan.

Timpe, tompe, terelink;
vliegt van hier na Derelijk,
vliegt van hier na Rompelschee,
koper kop en stalen tee;
wilt hij op zijn been niet staan;
'k moet er met de zwepe op slaan:
Timpe, tompe, terelink.

De commandant las het zangerig, lettergreep voor letter-greep.

Is dat Vlaams? vroeg hij nogmaals.

Ik knikte opnieuw.

Dan zijn het toverspreuken, zei hij, dit Vlaams ken ik niet.

De munganga fronste zijn voorhoofd.

Timpe tompe terelink, zei de commandant en smeet het boek op de grond.

Ik nam mijn geweer dat ik over mijn schouder had ge-hangen, in mijn handen. De commandant gebaarde met zijn hoofd naar de zwarte krijger die in de houding voor hem stond.

We hebben een blanke langbaard neergeschoten, rappor-teerde de zwarte.

De pastoor kreunde.

De commandant schopte hem nog een keer in de ribben.

Laat die man leven, zei ik scherp.

Natuurlijk, zei de commandant. Hij mag toekijken wat er met de anderen gebeurt.

De munganga keek mij triomfantelijk aan.

Jullie vergissen je, zei ik.

Je moet goede redenen hebben, zei de commandant.

En of, zei ik.

Breng deze pastoor weg, zei de commandant, dat hij ver-trekt, zich hier niet meer laat zien. De commandant draai-de me de rug toe en ging de kerk binnen. De munganga volgde hem.

Kom, zei ik tot de pastoor, reikte hem mijn hand, hielp hem overeind. Hij bloedde aan zijn mond.

Ik wil naar de anderen in de kerk.

Geen sprake van, zei ik, zij zijn verloren, u kan ik redden. Ik nam hem bij zijn arm, zoals ik met de munganga had gedaan. Hij begreep het.

Wat doe jij bij hen, bij deze wilden?

Het zijn niet altijd wilden, zei ik. Ze willen een ander Congo, Pierre Mulele heeft daar ideeën over. Het zijn jagers, krijgers, luipaardmannen, ze doen het op hun manier.

En is dat ook de jouwe?

Ik heb niet één manier, zei ik. Ik probeer me erdoorheen te slaan.

Ik duwde hem voor me uit naar het missiehuis. Hij stribbelde tegen.

Timpe tompe terelink, zei ik.

De vogelverschrikker salueerde naar ons, scheef als hij daar stond tussen de kolen.

Pak uw spullen, maak dat u hier wegkomt, verstop u, zei ik, kom desnoods over een paar uur terug, wanneer we verder trekken, meer kan ik niet voor u doen.

Ik liet hem aan zijn lot over, keerde terug naar de kerk.

In een hoek, achter de biechtstoel, bij het klokkentouw lag een blanke pater te kreunen met zijn handen tegen zijn zij gedrukt, zijn vingers vol bloed. Niemand keek naar hem om. De anderen, de zwarte broeders en zusters, de drie blanke nonnen, waren voor het altaar bijeengedreven. Bij de meesten stond de schrik op het gezicht. Alleen één broeder en een non schenen onverstoorbaar, gesterkt door het geloof? Dan dient het toch ergens voor. De krijgers hielden hen in bedwang met hun geweren.

De commandant overlegde met een krijger.

Het moest snel gaan. We werden verwacht bij de hoofdmacht, we hadden niet voor niets de hele nacht gereden om hier nu veel tijd te verliezen. De commandant gaf opdracht de benzine uit de schuur over te laden op de vrachtwagen.

Maar die zit al propvol, zei de Simba.

Stapel dan een deel ervan op het dak van de camionette, besloot de commandant.

De krijger nam twee manschappen mee naar buiten.

Verdeel het maar zoals jullie willen, en doe het snel, zei de chef. Hij ging ook naar buiten en beval de munganga hem te volgen.

Op het kreunen van de gewonde na bleef het een ogenblik stil in de kerk.

Toen knoopte een van de krijgers zijn veldbroek los en ging op de nonnen af. Ik haastte me hem te volgen voor de andere zwarten in beweging kwamen. Een haalde al een mes uit zijn gordel. Met een snelle beweging reet hij de broek van een van de broeders open.

De broeder trilde. Misschien bad hij in stilte, in zichzelf. Dat deden de nonnen misschien ook. Er klonk een kort lachje. De gewonde in zijn hoek kreunde, misschien was het prevelen, bidden.

Ik zocht de jongste blanke non uit, die mij de knapste leek.

Een van de krijgers sneed met zijn mes ruw hun habijten open, verwondde daarbij de jonge non. Ook van de zwarte zusters werden de kleren aan flarden gescheurd.

We keurden hen als vee.

De broeder zonder broek werd vastgegrepen. De man met het mes hakte zonder aarzelen met één houw zijn geslacht eraf. Bloed spoot op het altaar, de broeder schreeuwde. De mannen lieten hem los, bevalen hem zijn lul op te rapen en op te vreten. Maar de broeder bleef huilen, probeerde met zijn handen de bloedfontein te stoppen. Een van de nonnen viel flauw, de jonge non braakte, een derde begon luidop te bidden.

Ik greep de jonge non bij de schouders. De krijgers schreeuwden boven het huilen en bidden en kreunen uit, ze gaven de tweede broeder het bevel de nonnen te neuken – of hij zou het lot van de eerste broeder ondergaan. Ze wezen naar hem met het mes.

Ik leidde de jonge non weg van het altaar.

Haar neem ik zelf, zei ik en stak uitdagend mijn kin omhoog. Ze lieten me gaan.

Ik wist wat er achter mijn rug zou volgen, op een of twee na zou geen van de slachtoffers het overleven. De broeder zou trillend en bevend tussen de benen van de biddende non knielen, ze zouden hem aansporen, met de punt van het mes aan zijn scrotum. En hij zou haar neuken en de non zou hem vergeven, zou hem vergeven dat hij bang was en zwak, niet mans genoeg om te weigeren. Hij zou haar kuisheid schenden, in het huis van God, bij het altaar dat onder het bloed zat, waar de tweede broeder op zijn lul zat te kauwen, omdat ze dreigden hem ook nog de neus en de oren af te snijden. Wat ze ten slotte toch zouden doen.

De broeder zou de hele rij afgaan die voor hem klaarlag. Na de biddende non degene die was flauwgevallen, ze zou wel bijkomen zodra hij in haar drong en het uitschreeuwen, de blanke non onteerd door de zwarte man, terwijl de manschappen hun rauwe lachjes lieten horen en de zwarte zusters zich gereedhielden. Maar bij de laatste lukte het hem misschien niet meer en toen sneden ze hem toch zijn lul af en besprongen een voor een zelf de vrouwen die daar kronkelden. Misschien sneden ze hen daarna de tepels of de hele borsten af. Ik kende hun wreedheid.

Ik nam de jonge non mee vooraan in de kerk, achter een kuip die wellicht als doopvont werd gebruikt. Haar habijt hing open en daaronder droeg ze een hemd dat door het mes ook half was stukgereten. Ik scheurde het verder open. Ze droeg een zware bustehouder en een grote, grauwwitte onderbroek.

Trek je die zelf uit of doe ik het? vroeg ik nors.

Braaksel droop nog van haar kin, uit de snee in haar arm

sijpelde bloed, maar niet erg, de wond was niet diep. Ze beefde als een riet.

Wees blij dat ik het doe en niet zij, zei ik. Gebeuren moet het toch, een uitweg is er niet. Ik hoopte dat het haar als troost kon klinken, ik was blank zoals zij.

Ze zou de eerste blanke vrouw zijn sinds lang, sinds jaren, met wie ik het deed. Ik was er nieuwsgierig naar. En dat ze een non was, dat het voor haar de eerste keer moest zijn. Dat ik het was die haar kuisheid om zeep hielp, haar belofte.

Ik wist dat ik het kon.

Dit was het wat de Simba's hun macht gaf, dat ze durfden beschikken over deze verloren levens, er niet voor terugdeinsden. De enige manier waarop ik een van hen kon zijn, daardoor wist ik te overleven.

Ik schoof toen maar zelf haar onderbroek naar beneden, sneed met mijn zakmes haar bustehouder kapot.

Ze had grote, angstige ogen, ze haalde gejaagd adem, ze zeeg neer.

Ik knoopte mijn broek los, ik maakte het kort.

Dat was alles.

Timpe tompe terelink.

Buiten lag nog altijd de bundel van Gezelle. Ik legde hem naast de weg, schikte er een platte steen bovenop.

Met een rest uit het vat benzine staken we de kerk en het missiehuis in brand.

We lieten de nonnen en broeders achter, wie nog genoeg in leven was om zich te redden, zou dat wel doen.

We sprongen in de auto's en verdwenen.

De munganga lachte boven het motorgeronk uit, zoals ik wist dat hij kon. De overlevenden zouden hun verhalen vertellen, de vrees dat de Simba's nergens voor terugdeinsden zou bevestigd worden.

Wij waren rebellen.

TOEN IK EENMAAL een geweer had opgenomen, was het moeilijk het weer neer te leggen. Ik kreeg opdrachten, maar ik kon zelf bepalen hoe ik ze uitvoerde.

Wij huurlingen kenden discipline, maar we waren geen strak georganiseerd leger.

Ik had niets tegen degenen die ik bevocht. Ik nam het ze niet kwalijk dat ze me onder vuur namen, alleen wilde ik degene zijn die raak schoot.

Niemand wist wie tegen wie ten strijde trok, wie welke macht, welk grondgebied of welke belangen betwistte.

Ik streed in de huurlingenlegers van Tsjombe tegen de blauwhelmen van de Verenigde Naties. Ze schrokken van onze vliegtuigen, verbijsterd dat we over een luchtmacht beschikten. De Dorniers waren niet uitzonderlijk, maar met de Fouga Magisters richtten we schade aan.

De blauwhelmen hebben alle vliegtuigen vernietigd.

We werden verrast op het vliegveld. Plots stonden er Zweden, Ethiopiërs, Nepalezen, Amerikanen. De blauw-helmen overvielen ons in onze barakken. Voor ik een wapen kon grijpen, kreeg ik een geweerkolf tegen mijn kaak. Mijn tanden rammelden, mijn gebit werd er sterker van.

We werden bijeengedreven in een loods en ondervraagd.

Ik wendde koorts voor, mijn kaak zag grauw.

Op weg naar het lazaret kon ik mijn bewaker, een vriendelijke Zweed, verschalken. Ik kende de omgeving beter dan hij, ik wist te ontkomen.

Met de vliegtuigen was het gedaan. Ik ging met het leger van Tjombe mee naar de linies op het land, naar de dorpen.

En na de nederlaag van Tsjombe trok ik terug naar de Kivu, en daarna sloot ik me aan bij de Simba's van Pierre Mulele, en daarna bij een naamloze rebellengroep met een Franse huurlingenleider. Keuze genoeg.

De opdracht in Kivu was gemakkelijk. De overgebleven planters hadden er een eigen leger van blanke huurlingen opgericht. Althans dat was wat ik ervan begreep. Het interesseerde me niet. Ik hoorde dat ze iemand zochten om te patrouilleren op het Kivumeer. Ik zei dat ik had gediend op een boot op het Tanganyikameer, dat ik de Kasai had afgevaren, dat ik als tweede stuurman tot in Leopoldville was geweest over de Congostroom, maar zoveel uitleg hoefden ze niet.

Ik kreeg een boot waarvan de schipper was bezweken aan malaria. Ik zou een makker krijgen, een mijnwerkerszoon uit Charleroi, maar hij verdween voor hij aan boord was, misschien opgevreten door krokodillen of door het ongedierte in een plaatselijk bordeel, alles was mogelijk, dus ik vertrok alleen.

Het werden kalme maanden.

Ik voer rustig over en weer tussen twee baaien. Eerst deed ik er twee uur over, van de ene baai naar de andere. Ik voer meteen terug. Ik speurde de oever af, soms gebruikte ik de verrekijker die ik van een planter had gekregen. Meestal had ik genoeg aan mijn blote ogen.

Er viel niets verontrustends te zien. Geen troepenbewegingen, geen gewapende bendes, geen verspieders. Alleen nu en dan de mensen die langs de oever woonden.

Na een week deed ik er drie uur en later bijna vier uur over om van de ene baai naar de andere te varen. Terwijl overal in het binnenland werd gevochten en gemoord, leefde ik kalm als een visser op het water.

's Avonds meerde ik aan en sliep op de boot. Ik leefde op de proviand en brandstof die de planters me bezorgden.

's Nachts konden rebellen of strijders onmogelijk het meer op wegens de verraderlijke kolkingen en de krokodillen. Maanlicht was niet voldoende.

Na een paar weken gaf ik het op te speuren. Het kon me niet schelen wie het meer op voer en het eiland Idjwi of de andere oever wilde bereiken. Geen enkele van de strijdende partijen kon rekenen op mijn sympathie.

Soms voer ik dicht bij de oever, waar het gevaarlijk was door de rotsen en de uitsteeksels onder water, maar ik wist er behendig langs te laveren. De Oostendenaar had me meer bijgebracht dan hij had kunnen vermoeden.

Dicht bij de oever kon ik gemakkelijk de apen en vogels in de bomen gadeslaan, of ik probeerde vlak bij een nijlpaard te komen of bij krokodillen die lagen te zonnen in het oeverslijk. Ik luisterde naar het gekrijs van de apen en vogels dat soms als een storm door het gebladerte kwam aanzetten vanuit het hart van het woud. De krokodillen gaven geen krimp. De nijlpaarden strompelden weg van de oever. Ik liet de boot dobberen.

Ik zat daar op die boot omdat ik deelnam aan een oorlog, maar er was geen strijdgewoel, niemand viel me lastig.

Ik haalde het automatische geweer dat ze me hadden

gegeven uit elkaar, poetste elk onderdeel schoon met een doek. Ik zag de onderdelen glinsteren in de tropenzon, onbruikbaar zoals het wapen er nu lag, losse stukken, verspreid, door elkaar gehaald, zoals Congo zelf. Alleen wist ik hoe het geweer weer in elkaar gezet moest worden, maar van Congo scheen niemand dat te weten.

Soms ging een oeverbewoner met een prauw te water om te vissen.

Ik liet ze ongemoeid. Ik stelde geen lastige vragen, welke kant zij kozen, of ze iets wisten over de oorlog of oprukkende legers.

Ik nam vakantie.

Het was aangenaam op het water. De rust van een krokodil in het slijk.

Na tien weken zeiden ze dat ik zou worden afgelost, ik kon mee op een missie naar het binnenland. Maar daar had ik geen zin in. Ik keek liever uit naar een nieuw uniform, een nieuw gezelschap, andere lucht.

GEEN VOGEL, GEEN kat op het muurtje. Die beesten hebben hun eigen leven, denkt hij, de vogel heeft de kat weggelokt of de kat heeft de vogel opgevreten en rust nu uit ergens onder een struik die de warmte vasthoudt in een van de achtertuintjes.

Het gebeurt dat mijn herinneringen niet genoeg houvast vinden, dat ik Simone en Erna door elkaar haal.

Die keer dat we naar de kermis gingen, de zomerfoor aan het Zuidstation, hoe verrukt we waren over de draaiende, gekleurde lichtjes op het reuzenrad toen de avond viel, en de muziek die van de attracties schetterde. We konden van het ene deuntje naar het andere stappen, meezingers en disconummers waar we op dansten toen Erna nog in bars werkte. Maar sommige liedjes kunnen er toen nog niet geweest zijn, die moet ik later met Simone gehoord hebben.

We hielden van de drukte, de muziek en de lichten, de dampen van de wafels en de caracoles, het geroep van de uitbaters, *roulez, roulez*, en de open monden van wie aan de grond bleef. En ik drukte Erna, of Simone, tegen me aan, goedgemutst, omdat ik wist dat ik dat straks ook in bed zou doen. En op een keer, maar misschien gebeurde het vaker, nam ik achteloos een geweer vast bij een schietkraam en kocht meteen twintig loodkogeltjes.

Met het eerste schot testte ik de verhouding tussen de

loop en het vizier, want dikwijls staat de loop een tikkeltje schuin of is hij een beetje krom, het blijft een kermisgeweer, geen veldwapen.

Na het eerste schot, dat vaak al raak was, wist ik precies hoe ik moest mikken.

Ik deed een stap achteruit, schoot opnieuw, raak, ik deed nog een stap achteruit, schoot weer raak, en weer een stap, tot ik haast drie meter van het kraam af stond, midden in het pad tussen de rijen attracties, en ik schoot iedere keer raak, versplinterde het ene gipsen pijpje na het andere, en voor elk vernield pijpje kreeg je punten. En Erna of Simone, allebei keken ze verbaasd hoe ik dat, ondanks de glazen bier die ik al had gedronken, hoe ik dat zo losjes uit de pols met vaste hand klaarspeelde.

Over Congo repte ik met geen woord, ik schoot punten bij elkaar. En we gingen naar huis met een reusachtige, roze knuffelbeer.

JE MOEST EEN wapen in handen krijgen en een oorlog opzoeken, en alles wat door wetten verboden was, werd weer
mogelijk, je legde je eigen wetten op.

Niemand stuurde me nog weg omwille van een Martha.

Tot de blauwhelmen me een tweede keer te pakken kregen.

Onze verkenners waren niet betrouwbaar geweest, of
onze officieren hadden de situatie verkeerd ingeschat, of ze
waren gewoonweg onbekwaam, wat me nog het meest aan-
nemelijk leek. Hoe dan ook zaten we in de val tussen de
hutten van een klein dorp.

Ik had dadelijk door dat het weinig zin had aan een ho-
peloze zaak munitie te verspillen, ik wilde er in elk geval
mijn leven niet voor geven. Ik had alle mogelijkheden overwogen, het leek mij het beste mij over te geven.

De Fransman naast mij ging akkoord.

Voor ons legerde een troep zwarten van het officiële Congolese leger. Oostwaarts van het dorp lag een contingent
blauwhelmen, daar moesten we zijn. De troep Congolezen
vertrouwden we niet.

De lemen wanden van de hutten boden geen weerstand
aan de kogels. Als ze lukraak op de hutten bleven schieten,
moesten ze ons vroeg of laat te pakken krijgen. We konden

ons nergens veilig verschansen. Wachten betekende slechts uitstel van executie – letterlijk.

Ik weet niet hoeveel doden ik in al die gevechten heb gemaakt, misschien een tiental, misschien een paar, misschien geen enkele. Ik weet alleen welke kogels ik heb afgevuurd en welke daarvan enkel dienden om lawaai te maken, om af te schrikken, en bij welke ik heb gemikt, maar ik heb nooit kunnen weten welk schot dodelijk was.

Nu en dan maakten we er grappen over, de Fransman en ik.

We mogen er wel een paar neerleggen, we hebben ook leven geschoten in hun vrouwen, misschien is de eindbalans wel positief.

We hadden niets mee dat als een witte vlag kon dienen, en als we er een omhoog hadden gestoken, zouden de manschappen uit onze eigen rangen ons wel hebben neergeknald.

Ik wisselde een blik met de Fransman.

We moesten ons bij het terugtrekken oostwaarts verwijderen van onze eigen manschappen, ons ingraven in een greppel en wachten tot de blauwhelmen dicht genoeg genaderd waren om onze wapens in de lucht te steken.

Een van de zwarten uit onze rebellengroep had ons door. De Fransman aarzelde geen seconde, hij schoot de zwarte in het hoofd voor die ons kon verraden.

Opnieuw brak een vuurgevecht uit, we drukten ons tegen de grond in een geul tussen twee hutten. Het duurde hooguit een kwartier, toen stonden de blauwhelmen aan de rand van het dorp, wij staken onze wapens op als roeispanen, de loop naar beneden, en werden ingerekend. Tien minuten later had ook de rest van de troep zich overgegeven, of was gesneuveld.

Op dat ogenblik wist ik dat de oorlog was afgelopen voor mij.

We werden in een vrachtwagen geladen en afgevoerd naar Ruanda.

Het leven in de gevangenis was de moeite niet waard. De Fransman had een hekel aan de zwarten nu hij niet vrij was. Hij vond ze kruiperig. Hij ging er een te lijf. Daarop werd hij verwijderd, ik weet niet waarheen.

De laatste dagen bracht ik door in een Zwitsers cachot.

Toen landde ik op Belgische bodem, op de militaire luchthaven van Melsbroek, en was het leven in de Congo voorbij. Enkele uren later omhelsde ik mijn moeder.

STAANDE, LEUNEND TEGEN het aanrecht, eet hij een boterham, een flesje bier in de hand.

De laatste zonnestralen vallen door het keukenraam op zijn gezicht.

Hij sluit zijn ogen.

Hij heeft geen nood aan het licht, alleen aan de zachte warmte van de zon, hoe ze over zijn huid kruipt, hem voldaan maakt.

De zon glijdt langzaam de dag uit.

Terwijl hij aanwezig blijft. Dat is genoeg, dat weet hij.

Na al die tijd kent hij het leven door en door.

Aan twee aardappelen, een stukje vlees, een schep groente, een paar boterhammen, een bord soep en koffie heeft hij genoeg. Dat krijgt hij iedere dag nog gemakkelijk voor elkaar. Het bier is niet voor zijn lichaam, maar voor zijn geest, de sigaretten voor zijn genoegen.

Je moet alles een plaats weten te geven, zei hij tegen het meisje van de sociale dienst. Dan verwerf je vanzelf ook een plaats.

Het meisje glimlachte beleefd, maar hij zag dat ze het niet begreep.

Dit huis is mijn plaats, zei hij.

Die gelegenheid wilde hij niet laten liggen.

Hij ziet zichzelf kijken, naar de muur waar reeds de geraniums hangen die hij morgen of overmorgen zal gaan kopen.

Hij ziet zichzelf kijken.

Hij heeft de voordeur op slot gedraaid en ook de deur naar het koertje op het haakje gedaan. Hij heeft de rolluiken naar beneden gelaten. In de woonkamer is het nu donker. In de keuken staat zijn omgespoelde kop op het aanrecht klaar. De flesjes bier die hij heeft gedronken staan onder de trap bij de andere lege flessen. Hier is de dag afgelopen, hij kan naar boven.

Hij ziet de trap die hij beklimt.

Hij neemt het gebit uit zijn mond, legt het in een glas, doet er water bij, zet het gereed voor morgenochtend.

In de slaapkamer kijkt hij tegen zichzelf aan in de grote spiegel in de kastdeur.

Hij ziet zich naar het bed stappen en de pyjama nemen die er ligt.

Zijn bewegingen zijn abrupt, alsof hij daar op het laatste moment toe heeft besloten. Plots bukt hij zich en heeft de pyjama vast. Geen spoor van vermoeidheid, van twijfel.

Hij laat een boer, een laatste oprisping van het bier na de inspanning op de trap.

Een ogenblik staat hij roerloos, terwijl hij de biersmaak wegslikt. Daarna draait hij zijn rug naar de spiegel.

Tijdens haar laatste maanden moest hij Simone de trap op en af helpen. Hij hielp haar bij het uitkleden, hij dekte haar in dit bed toe. Toen liep hij om het bed heen en kroop er zelf in aan de andere kant.

Ze begreep het niet meer, wanneer hij zijn hand op haar buik legde.

Hij probeerde het nog een paar keer, maar het had geen zin.

Hij streelde haar alleen maar, ze knorde en zuchtte, soms

weerde ze hem af. Strelen was het enige waar ze soms nog van hield, dat haar deugd deed voor ze in slaap viel.

Hij verlaat de slaapkamer en klimt de zoldertrap op met zijn pyjama onder zijn arm, duwt de smalle zolderdeur open.

Toen Simone er nog was, werd de zolder niet gebruikt. Ze hadden geen overbodige spullen die ze er konden opslaan. Er waren alleen spinnenwebben en dode insecten.

De stoffige planken kraken van de droogte.

Daar staat zijn bed. Slechts door de pannen van de buitenlucht gescheiden. Als het hard waait, voelt hij de wind.

En er is het dakvenster. Hij kan 's nachts de gloed zien van de stad, en de sterren wanneer de gloed minder fel is en de nacht helder, en de lichten van de vliegtuigen die dalen naar de luchthaven of er vertrekken.

De zolder is als een hut, hoog op een heuveltop. Of als een cel op de derde verdieping in een eenzame vleugel.

Meer heeft hij 's nachts en 's ochtends bij het ontwaken niet nodig.

Hij luistert naar de geluiden.

De vogels, het miauwen van een kat, het luiden van een klok soms, naargelang de wind staat, een vliegtuig, een sirene, de auto's, de autobussen, een enkele keer voetstappen, haastig klepperend in de voorts stille straat, geroep van een stem.

Hij heeft genoeg herinneringen om ze een plaats te geven.

Maar het meest verlangt hij naar het getrippel op het dak wanneer ze landt.

Het meisje van de sociale dienst kan het beter niet weten. Een oude man op zijn zolder, in weer en wind, dat volstaat om hem te laten overbrengen naar een rusthuis.

Voor uw eigen bestwil, zal ze zeggen.

Ik weet voor wiens bestwil, antwoordt hij.

U hebt er alles, verzorging, eten, ontspanning, u hoeft zich nergens nog om te bekommeren, zegt ze.

Hij glimlacht meewarig.

Morgen haalt hij de bloempotten uit de kelder, morgen kijkt hij of het gras al hooi is, morgen kijkt hij of de oude emmer nog in de kelder staat.

Met hetzelfde gemak ziet hij zichzelf het trapje op klimmen naar een Fouga Magister en zich in de cockpit hijsen. Een zwarte haalt het trapje weg, waarna hij de motoren laat warmdraaien. De Dorniers zijn geen van alle beschikbaar, aan twee wordt gesleuteld en de derde is al in de lucht.

Dit keer is hij uitsluitend piloot, een blanke uit Rhodesië gaat mee als boordschutter.

Hij taxiet naar de startbaan, laat de motoren brullen.

Dan schiet hij vooruit.

Net wanneer het toestel zich verheft, ziet hij uit de struiken aan het eind van de startbaan een arend opvliegen, hij hoort de Rhodesiër vloeken en naar de hendel van de boordmitrailleur grijpen, maar het toestel gaat snel, hij zwenkt bruusk, de kogels komen te laat, de vogel verdwijnt in de motor.

Hij voelt onmiddellijk hoe het vliegtuig kracht verliest, schudt en buitelt, hij kan ternauwernood de bomen op de heuvels vermijden. Hij heeft nog nooit met moeilijkheden gevlogen.

De schietstoel? schreeuwt de Rhodesiër.

Hij schudt kalm nee. Hij laat het toestel schokkend en waggelend in een brede boog zwenken. Probeert de neus weer perfect in de wind te krijgen, hij verliest hoogte, scheert opnieuw over enkele boomtoppen. Hij moet voortdurend bijsturen, tegensturen, beletten dat de kist begint te tollen. Hij gooit de benzinetanks open. De snelheid ligt te laag nu om het toestel op zijn elan stabiel te krijgen, een perfecte noodlanding kan dit nooit worden. Hij dwarst twee landingsbanen, de Fouga Magister sleept met zijn staart over de grond, hij schuift op een vleugel. De vlucht zit erop.

De Rhodesiër klopt hem op de schouder.

Vanavond eten we gevogelte, zegt hij.

Niet één ogenblik ben ik onzeker of bang geweest, herinnert hij zich.

Of je over de weg manoeuvreert, of in de lucht, of in een hoer, nooit mag je hand trillen. Zelfs zuipen doe ik met een vaste hand.

Dankzij je amulet, zegt een zwarte officier.

Ook de Rhodesiër knikt.

De Simba's zijn er altijd, zei de munganga later, ook als je ons niet ziet, als je ons vergeet, wij komen, ons binnenste reist.

Hij weet dat het zijn vaste hand is.

Zo gingen die dingen.

Hij schudt zijn hoofdkussen op, legt het terug, strijkt het met vlakke hand glad.

Hij knoopt zijn broek los, laat haar over zijn billen zakken, gaat op de rand van het bed zitten. Met de punt van zijn ene pantoffel trapt hij op de hiel van de andere en duwt hem uit. Tot de beide pantoffels van zijn voeten glijden. Dan laat hij zijn broek op zijn enkels vallen en haalt er zijn voeten uit.

Hij ziet zich naar het dakvenster stappen, in het schaarse licht dat nog van buiten valt, de tanende zon, de opkomende maan, het neongeflakker van de stad.

Zijn kleren heeft hij over de stoel en aan de spijker gehangen.

Hij staart nog een keer door het dakvenster. De hemel waaronder hij slaapt.

Plots klinkt het scherpe, ratelende hinniken, tsjink-tsjink-tsjink, van een merel die wegschiet. Misschien sluipt er ook ergens een kat. Het is door het dakvenster niet te zien.

De hemel toont noch de zon noch de maan, ook geen sterren, het is te laat voor het een, te vroeg voor het ander, er heerst een onbestemde schemering met net genoeg licht om de contouren te zien van de daken, een kerktoren verder weg, een of twee van de bomen op het Hertogenplein, de dakranden met de dakgoten en de kloof van de straat eronder.

Op deze plek waar een appartementsgebouw moet komen.

Hij schudt het hoofd om het meisje van de sociale dienst.

Hij keert het dakvenster de rug toe. Hij gaat op de rand van het bed zitten, laat zich op zijn zij tussen de lakens glijden. Daarna wentelt hij zich op zijn rug.

Staart naar de nokbalk, die al schuilgaat in de schaduwachtige schemer.

Als zijn binnenste wil reizen, houdt hij het niet tegen.

Ik laat het gebeuren, denkt hij.

Niets staat de slaap nog in de weg.